コーポレートガバナンス・
コードの実務

Practical Guide to the Corporate Governance Code

第4版

弁護士 澤口　実　監修
弁護士 内田修平
弁護士 小林雄介　編著

商事法務

第 4 版はしがき

　コーポレートガバナンス・コードは、2018 年の改訂から 3 年を経て再改訂された。そこで、本書についても、これに対応するため改訂を行うとともに、第 3 版以降の実務の傾向を踏まえた見直しを行った。

　今回の改訂では、これまでのコーポレートガバナンス・コードの改訂において中心的に取り扱われてきた取締役会の機能発揮に加え、ダイバーシティやサステナビリティといったテーマにも、これまで以上に重点が置かれている。また、コーポレートガバナンス・コードと同時に改訂された「投資家と企業の対話ガイドライン」は、デジタルトランスフォーメーション、サイバーセキュリティ対応、カーボンニュートラルといった新たな経営課題や、バーチャル総会の運営等にも言及するなど、今回の改訂は、世相を反映したより幅広いトピックを取り上げている点に特徴がある。従来は必ずしもコーポレートガバナンスの文脈で語られてこなかった新たな課題への対応は、各社にとってチャレンジとなるだろう。

　本書のコンセプトは初版から同様であり、コーポレートガバナンス・コードの実施の是非・内容等の検討を行う上場企業の役職員の方を対象にしている。各社のコード対応における判断材料の一つとして活用していただければ幸いである。

　改訂にあたっては、株式会社商事法務の澁谷禎之氏をはじめとするコンテンツ制作部の皆様に大変心強いサポートを頂いた。篤く御礼申し上げる。

2021 年 9 月 1 日

筆者を代表して　内田　修平

第3版はしがき

　コーポレートガバナンス・コードは、適用開始から3年を経て2018年6月に改訂され、同時に「投資家と企業の対話ガイドライン」も新たに誕生した。そこで、本書についても、主としてこれらに対応するため改訂を行うともに、第2版以降の2年余の実務の傾向を踏まえた見直しを行った。

　改訂にあたり、開示事例の紹介は、コードが誕生した3年前と異なり、多様な開示が蓄積した現状を踏まえ、必要最小限にした。開示事例については、別冊商事法務の『コードに対応したコーポレート・ガバナンス報告書の記載事例の分析』（森・濱田松本法律事務所編、直近のものは427号の平成29年版）などを参照されたい。

　本書のコンセプト自体は初版から同様であり、コーポレートガバナンス・コードの実施の是非・内容等の検討を行う上場企業の役職員の方を対象にしている。「正解」のないコーポレート・ガバナンスに関して、各社の判断に基づく深度あるコード対応のために、判断材料の1つとして活用していただければ幸いである。

　改訂にあたっては、旧版同様、株式会社商事法務の岩佐智樹氏、水石曜一郎氏に充実したサポートを受けた。感謝申し上げる。

2018年8月26日
筆者を代表して　澤口　実・内田　修平

第 2 版はしがき

　旧版の出版から半年が経過し、上場会社のコーポレート・ガバナンスをめぐる動きは更なる進展を見せている。

　コーポレートガバナンス・コードの適用対象である上場会社の多くでは、コードに対応したガバナンス報告書の提出を終えるなど、着実に実務対応が進められている。一方、コードへの実務対応は、まだ緒についたばかりであり、毎年の定時株主総会後遅滞なく行うべきとされるガバナンス報告書の更新はもちろん、エクスプレインした原則への対応、コンプライする原則に関する具体的運用の検討、コード適用下における株主総会の運営など、実務上考慮を要する事項が山積している。

　旧版と同様、本書は、コーポレートガバナンス・コードへの実務対応について検討を行う上場企業の役職員の方を対象に、その検討にあたっての判断材料等を提供することを目的としている。

　改訂に際しては、コードの制定に関与し、その経緯および実務に精通した有能な同僚を共同編集者に加えるとともに、上場各社におけるコードに対応したガバナンス報告書の記載内容や、各原則のコンプライおよびエクスプレインの状況等、コード適用初年度の対応状況を振り返り、今後の実務対応に向けた留意事項を整理するよう心がけた。こうした観点から、数多くのQを新設するとともに、既存のQについても、最新の実務を踏まえて記載内容の充実を図っている。

　コードへの対応は、適用初年度にとどまらず、上場会社にとって、今後も避けて通れない課題であり続ける。本書がその検討の一助となれば、望外の喜びである。

　本書の企画・編集については、旧版同様、株式会社商事法務の岩佐智樹氏および水石曜一郎氏に大変助けられた。タイトな日程の中での多大なご尽力に、この場を借りて篤く御礼を申し上げる。

2016 年 2 月 4 日

筆者を代表して　　内田　修平

初版はしがき

　本書は、適用が開始されたコーポレートガバナンス・コードについて、実施の是非・内容等の検討を行う上場企業の役職員の方を対象に、その検討にあたっての判断材料等を提供することを目的としている。

　Q&A形式になっているので、関心のあるコードの原則に関する記述だけを選んで読んで頂いても良い。

　本書は、旬刊商事法務誌に3回にわたり連載した「コーポレートガバナンス・コードへの対応に向けた考え方」を基礎に、Qを更に約50問ほど追加した上で、6月1日のコード適用開始後の状況も踏まえ、全体について可能な範囲で加筆・修正している。

　コードの内容は多岐にわたるので、本書を深度ある対応のために活用頂くことを期待しているが、いわゆる「ひな型的対応」に陥らないように、検討プロセスを重視されることをお勧めしたい。

　本書の企画については株式会社商事法務の岩佐智樹氏、編集については同じく水石曜一郎氏に大変助けられた。旬刊商事法務誌の編集部の皆様にも感謝申し上げたい。

2015年6月10日

筆者を代表して　澤口　実

目　次

序 1

第1章　コーポレートガバナンス・コード全体 3

- Q1　コーポレートガバナンス・コードとは何か。........................ 4
- Q2　コーポレートガバナンス・コードの概要はどのようなものになっているのか。.. 5
- Q3　コードの策定経緯と策定後の状況はどのようなものだったか。... 8
- Q4　2021年改訂の経緯とその概要はどのようなものか。............ 9
- Q5　フォローアップ会議とは何か。.. 12
- Q6　対話ガイドラインとは何か。.. 14
- Q7　2021年改訂コードに対応するガバナンス報告書の提出期限はどうなっているか。更新に際して留意すべき事項は何か。..... 16
- Q8　プライム市場向けのコードの原則とは何か。...................... 17
- Q9　コンプライ・オア・エクスプレインの手法を採用しているのであれば、上場会社はコードに従う義務はないのか。............ 19
- Q10　プリンシプルベース・アプローチならば会社の裁量が広いのか。... 21
- Q11　エクスプレインする会社はどの程度あるか。...................... 22
- Q12　エクスプレインが多い傾向にある原則はどれか。.............. 23
- Q13　どのようにエクスプレインすればよいのか。...................... 24
- Q14　エクスプレインにおけるひな型的対応への批判は何を問題視しているのか。... 25
- Q15　コンプライした場合にガバナンス報告書に開示すべき事項は何か。... 26
- Q16　「コンプライ・アンド・エクスプレイン」とは何か。.......... 29
- Q17　「開示」ではなく「説明」とされている事項については何が求められているか。.. 30
- Q18　株主総会で何が求められるのか。.. 32
- Q19　指名委員会等設置会社や監査等委員会設置会社についてはどのように読替えをすべきか。........................ 33
- Q20　株主とは機関投資家のことか。.. 35
- Q21　経営陣と経営陣幹部とはどう区別するのか。...................... 36
- Q22　コード対応に関して監査役は何をすべきか。...................... 38

Q23	コードの実施は上場会社だけでなくグループ全体で考える必要があるか。		39
Q24	スチュワードシップ・コードとの関係や共通点・相違点は何か。		43

第2章　基本原則1「株主の権利・平等性の確保」　45

Q25	取締役会における原因分析が必要な「相当数の反対票が投じられた」とはどのような場合か。	[1-1 ①]	46
Q26	「反対の理由や反対票が多くなった原因の分析」とは具体的に何をすればよいか。	[1-1 ①]	48
Q27	株主総会決議事項の一部を取締役会に委任するとはどのような場合か。	[1-1 ②]	49
Q28	株主の権利行使への配慮とは具体的に何をすればよいか。	[1-1 ③]	50
Q29	株主総会における権利行使に係る環境整備とは具体的に何をすればよいか。	[1-2]	51
Q30	バーチャル株主総会の実施を検討する必要があるか。	[1-2]	52
Q31	株主に提供すべき情報とその方法には、何があるか。	[1-2 ①]	53
Q32	招集通知の発送や電子的公表はいつまでに行えばコンプライといえるか。	[1-2 ②]	55
Q33	株主総会関連の日程の適切な設定とは何か。	[1-2 ③]	57
Q34	議決権電子行使プラットフォームを利用しないとコンプライしていないことになるのか。	[1-2 ④]	59
Q35	招集通知の英訳をしないとコンプライしていないことになるのか。	[1-2 ④]	60
Q36	実質株主が株主総会に出席を希望する場合に備えて何が必要か。	[1-2 ⑤]	62
Q37	資本政策とは何か。	[1-3]	64
Q38	説明が必要な「資本政策の基本的な方針」とは何か。	[1-3]	65
Q39	「資本政策の基本的な方針」は、ガバナンス報告書での「開示」が必要か。	[1-3]	67
Q40	政策保有株式に該当する株式は何か。	[1-4]	68
Q41	政策保有株式に対する懸念の趣旨は何か。	[1-4]	69
Q42	政策保有株式に関するコードの改訂の背景・概要は何か。	[1-4]	70

Q43	政策保有株式の縮減に関する方針・考え方には、縮減しない方針も含まれるのか。保有の意義がなければ縮減するという方針はどうか。	[1-4]	71
Q44	取締役会における個別の政策保有株式の保有の適否は、発行会社ごとに、取締役会において個別に検証した上で、個別に開示することが必要なのか。	[1-4]	72
Q45	個別の政策保有株式に関する保有の適否の検証として、具体的に何が求められるのか。	[1-4]	74
Q46	政策保有株式に係る議決権の行使について、具体的な基準とはどのようなものか。	[1-4]	75
Q47	子会社が保有する政策保有株式についての方針・議決権行使基準は、子会社が決定したものを開示すればよいのか。	[1-4]	76
Q48	補充原則1-4①の趣旨は何か。具体的にどのような行為が売却等を妨げる行為に当たるのか。	[1-4①]	77
Q49	補充原則1-4②の趣旨は何か。株主への利益供与の禁止とはどのような関係にあるのか。	[1-4②]	78
Q50	買収防衛策を導入している会社は何をすればよいのか。	[1-5]	80
Q51	買収防衛策を導入していない会社は何かする必要があるのか。	[1-5]	82
Q52	自社の株式が公開買付けに付された場合には何をすればよいのか。	[1-5①]	83
Q53	支配権の変動等をもたらす資本政策については何をすればよいのか。	[1-6]	84
Q54	関連当事者間の取引とは何か。	[1-7]	85
Q55	関連当事者間の取引を行っていない場合でも、手続を定める必要があるのか。	[1-7]	86
Q56	関連当事者間の取引については何をすればよいのか。	[1-7]	87

第3章 基本原則2「株主以外のステークホルダーとの適切な協働」

89

Q57	経営理念とは何か。策定した経営理念は開示が必要か。	[2-1]	90
Q58	行動準則とは何か。今までやってきていないことが求められているのか。	[2-2、2-2①]	91
Q59	サステナビリティを巡る課題とは何か。	[2-3、2-3①]	92

Q60	サステナビリティを巡る課題について、どのような対応をすべきか。 [2-3①、4-2②]	94
Q61	女性の活躍促進に関する対応状況はどうか。 [2-4]	96
Q62	多様性の確保に関して、どのような対応が必要か。 [2-4①]	98
Q63	内部通報について取締役会がすべきことは具体的に何か。 [2-5]	100
Q64	経営陣から独立した内部通報の窓口とは何か。 [2-5①]	102
Q65	企業年金にアセットオーナーとしての機能の発揮を求める原則2-6の意義は何か。 [2-6]	103
Q66	原則2-6に基づき上場会社には具体的にどのような取組みが求められるか。 [2-6]	105
Q67	原則2-6に基づく取組みにおいて利益相反の管理として何らかの対応が求められるか。 [2-6]	107

第4章　基本原則3「適切な情報開示と透明性の確保」　109

Q68	経営戦略および経営計画の策定と開示は必要か。 [3-1(i)]	110
Q69	中期経営計画も策定と開示が必要か。 [3-1(i)、4-1②]	112
Q70	コーポレートガバナンスに関する基本的な考え方と基本方針とは何か。 [3-1(ii)]	113
Q71	基本方針をコーポレートガバナンス・ガイドラインとして規定することの意味は何か。 [3-1(ii)]	114
Q72	経営陣幹部や取締役の指名・報酬の決定についてコードは何を求めているか。 [3-1(iii)、3-1(iv)、4-3①、4-10①]	115
Q73	役員報酬の決定の方針と手続とはどのようなものか。 [3-1(iii)]	117
Q74	役員指名・選解任の方針と手続とはどのようなものか。 [3-1(iv)]	118
Q75	経営陣幹部・役員候補の個々の選解任・指名についての説明とはどのようなものか。 [3-1(v)]	120
Q76	社内取締役および社内監査役の個々の候補者の指名についての説明に際して留意すべき事項は何か。 [3-1(v)]	121
Q77	「法令に基づく開示」として、コードは何を想定しているか。 [3-1①]	122

Q78	英語での情報開示・提供について、どのように対応すべきか。 [3-1②]	123
Q79	サステナビリティについての取組みや人的資本・知的財産への投資について、どのように開示すべきか。TCFD 開示についてはどうか。 [3-1③]	125
Q80	外部会計監査人を評価するための基準とはどのようなものか。 [3-2、3-2①(i)]	128
Q81	外部会計監査人を評価するための基準と事業報告に記載する会計監査人の解任・不再任の決定方針との関係はどのようなものか。 [3-2①(i)]	130
Q82	外部会計監査人の独立性と専門性の確認はどのようにするのか。 [3-2①(ii)]	131
Q83	外部会計監査人について、取締役会および監査役会は何をしなければならないか。 [3-2②]	132
Q84	外部会計監査人を監査役会に出席させなければならないのか。 [3-2②(iii)]	134

第5章　基本原則4「取締役会等の責務」　135

Q85	取締役会の責務はコードではどう整理されているのか。 [4-1〜4-3]	136
Q86	コードは特定の機関設計を推奨しているのか。	137
Q87	コードはモニタリング・モデルを推奨しているのか。	138
Q88	コードの適用を踏まえた取締役会付議事項のあり方は。	140
Q89	コードにおいて取締役会が主体とされているものは何か。	146
Q90	経営陣への委任の範囲の概要はどこまで開示すべきか。 [4-1①]	149
Q91	中期経営計画に関して何が求められるのか。 [4-1②]	150
Q92	「後継者計画（プランニング）」とは何か。 [4-1③]	151
Q93	「関与」や「監督」の主体は、任意の独立した指名委員会でもよいか。 [4-1③、4-10①]	153
Q94	経営陣の報酬制度の設計や具体的な報酬額の決定について、コードは何を求めているか。 [4-2①]	154
Q95	「割合を適切に設定すべき」とはどういう意味か。 [4-2①]	156
Q96	業績等の評価を経営陣幹部の選解任に反映させるための手続はどうすればよいか。 [4-3、4-3①]	157
Q97	CEO の選任手続についてコードは何を求めているか。 [4-3、4-3②]	158

Q98	CEO の解任手続についてコードは何を求めているか。	[4-3、4-3③]	160
Q99	内部統制やリスク管理体制について取締役会は何をすればよいのか。	[4-3、4-3④]	161
Q100	監査役・監査役会の役割・責務についてコードは何を求めているか。	[4-4、4-4①]	163
Q101	受託者責任の認識とは何をすればよいのか。	[4-5]	165
Q102	業務の執行と一定の距離を置く取締役の活用についての検討とは何が求められるのか。	[4-6]	166
Q103	独立社外取締役の資質・適任者についてのコードの考えは。	[4-7、4-11①]	167
Q104	プライム市場上場会社が過半数（その他の市場の上場会社では、少なくとも3分の1以上）の独立社外取締役の選任が必要と考える場合、何が求められるのか。	[4-8]	169
Q105	独立社外者のみを構成員とする会合に社内出身の監査役を参加させてはいけないのか。	[4-8①]	171
Q106	独立した客観的な立場に基づく情報交換・認識共有の方法として、独立社外者のみを構成員とする会合の開催以外にどのようなものがあるか。	[4-8①]	172
Q107	情報交換・認識共有の相手方は独立社外取締役に限定されるのか。	[4-8①]	173
Q108	筆頭独立社外取締役を決める必要があるか。	[4-8②]	174
Q109	特別委員会の構成・設置についてコードは何を求めているか。	[4-8③]	175
Q110	独立社外取締役の要件は何か。	[4-9]	177
Q111	独立性判断基準は金融商品取引所の独立性基準と同じではだめか。	[4-9]	178
Q112	独立役員に指定しない社外取締役は独立社外取締役に該当しないのか。	[4-9]	180
Q113	指名・報酬などの特に重要な事項に関する検討に当たり、独立した指名委員会および報酬委員会を設置する必要があるか。	[4-10、4-10①]	181
Q114	「独立した指名委員会・報酬委員会」に求められる独立性とは何か。	[4-10、4-10①]	183
Q115	監査等委員会を独立した指名委員会・報酬委員会に代替するものとして利用することは補充原則4-10①のコンプライとなるか。	[4-10、4-10①]	185

Q116	取締役会の実効性を確保するために何が求められるか。	[4-11]	187
Q117	取締役会に、女性取締役や外国人取締役、他社での経営経験者等がいないと原則4-11はエクスプレインが必要か。	[4-11]	189
Q118	監査役に求められる知識・知見についてのコードの考え方は。	[4-11]	191
Q119	取締役の実効性を確保するためにスキル・マトリックスが必要か。	[4-11①]	193
Q120	兼任の制限を設けるべきか。	[4-11②]	195
Q121	取締役・監査役の兼任状況の開示は事業報告・株主総会参考書類以上のものが必要か。	[4-11②]	197
Q122	取締役会の実効性評価とは何か。	[4-11、4-11③]	198
Q123	取締役会の実効性評価の方法にはどのようなものがあるか。	[4-11、4-11③]	200
Q124	各取締役による自分自身の自己評価は必要か。	[4-11③]	201
Q125	結果の概要を開示するとはどういうことか。	[4-11③]	202
Q126	取締役会の審議の活性化のために何をすればよいか。	[4-12、4-12①]	203
Q127	取締役・監査役への情報提供について何が求められるか。取締役会・監査役会による確認の方法は。	[4-13、4-13①～4-13③]	204
Q128	監査役と内部監査部門との連携はなぜ重要か。	[4-13③]	207
Q129	何についてのトレーニングが必要か。	[4-14、4-14①、4-14②]	209

第6章 基本原則5「株主との対話」　211

Q130	株主から対話（面談）の申込みがあれば必ず応じなければならないのか。	[5-1]	212
Q131	対話（面談）には、経営陣幹部、取締役または監査役が対応しなければならないのか。	[5-1①]	213
Q132	社外取締役が株主と面談するのはどのような場合か。	[5-1①]	214

Q133	株主との建設的な対話を促進するための体制整備・取組みに関する方針とは、いわゆるディスクロージャー・ポリシーのことか。 [5-1、5-1②]	215
Q134	株主との対話を統括する経営陣・取締役には誰が適任か。 [5-1②(i)]	216
Q135	上場会社は必ず株主構造の把握を行わなければならないのか。 [5-1③]	217
Q136	経営戦略や経営計画の策定に際して、株主との対話との関係で留意すべきことは何か。 [5-2]	218
Q137	収益力・資本効率とはどういう意味か。 [5-2]	221
Q138	コードにおける資本コストとは何か。資本コストについて投資家とどのように対話すべきか。 [5-2]	222
Q139	「事業ポートフォリオの見直し」や「設備投資・研究開発投資・人的資本への投資等」について言及しなければコンプライとはいえないか。 [5-2]	224
Q140	「事業ポートフォリオに関する基本的な方針」の決定や「事業ポートフォリオの見直し」の実施がなければコンプライとはいえないか。 [5-2①]	226
Q141	原則5-2と対話ガイドラインはどのような対応関係となっているか。 [5-2、5-2①]	228
Q142	対話ガイドラインにおける「事業ポートフォリオの見直しのプロセス」(1-4) とは具体的に何か。 [5-2、5-2①、対話ガイドライン1-4]	231
Q143	対話ガイドラインにおける「財務管理の方針」(2-2) とは具体的に何か。 [5-2、対話ガイドライン2-2]	233

第7章 上場規則等 235

Q144	2021年改訂後、上場している市場区分によって、求められる内容はどのように異なるか。	236
Q145	東証以外の市場に上場する会社には何が求められるのか。	238
Q146	全ての原則等が適用されるわけではない上場会社は、開示を求める原則の一部のみコンプライすることが可能か。	240
Q147	エクスプレインの内容について取引所により不十分とされる事態は想定されているのか。	241
Q148	ガバナンス報告書にはどのような記載が求められるのか。	242

Q149	コード対応に係るガバナンス報告書の更新はどのタイミングで必要か。2021年コード改訂に係る更新はどうか。	244
資料1	「コーポレートガバナンス・コード」	248
資料2	「コーポレートガバナンス・コード」と「投資家と企業の対話ガイドライン」の対比	259
事項索引		266
第4版執筆者紹介		270

*　Qの末尾の括弧書の数字は、関連するコーポレートガバナンス・コードの原則を意味する。

頻出引用文献等の略語

油布ほか〔Ⅰ〕	油布志行＝渡邉浩司＝谷口達哉＝中野常道「『コーポレートガバナンス・コード原案』の解説〔Ⅰ〕」旬刊商事法務2062号（2015）47〜55頁
油布ほか〔Ⅱ〕	油布志行＝渡邉浩司＝谷口達哉＝善家啓文「『コーポレートガバナンス・コード原案』の解説〔Ⅱ〕」旬刊商事法務2063号（2015）51〜57頁
油布ほか〔Ⅲ〕	油布志行＝渡邉浩司＝髙田洋輔＝中野常道「『コーポレートガバナンス・コード原案』の解説〔Ⅲ〕」旬刊商事法務2064号（2015）35〜43頁
油布ほか〔Ⅳ〕	油布志行＝渡邉浩司＝髙田洋輔＝浜田宰「『コーポレートガバナンス・コード原案』の解説〔Ⅳ・完〕」旬刊商事法務2065号（2015）46〜56頁
田原ほか	田原泰雅＝渡邉浩司＝染谷浩史＝安井桂大「コーポレートガバナンス・コードの改訂と『投資家と企業の対話ガイドライン』の解説」旬刊商事法務2171号（2018）4〜20頁
島崎ほか	島崎征夫＝池田直隆＝浜田宰＝島貫まどか＝西原彰美「コーポレートガバナンス・コードと投資家と企業の対話ガイドラインの改訂の解説」旬刊商事法務2266号（2021）4〜22頁
佐藤	佐藤寿彦「コーポレートガバナンス・コードの策定に伴う上場制度の整備の概要」旬刊商事法務2065号（2015）57〜67頁
変わるコーポレートガバナンス	森・濱田松本法律事務所編『変わるコーポレートガバナンス』（日本経済新聞出版社、2015）
新しいスタンダード	森・濱田松本法律事務所編『コーポレートガバナンスの新しいスタンダード』（日本経済新聞出版社、2015）
株主総会白書2020年版	「株主総会白書2020年版―新型コロナと株主総会―」旬刊商事法務2256号（2021）
コーポレート・ガバナンス白書2021	東証「東証上場会社　コーポレート・ガバナンス白書2021」（2021年3月）
伊藤レポート	経済産業省「『持続的成長への競争力とインセンティブ〜企業と投資家の望ましい関係構築〜』プロジェクト（伊藤レポート）最終報告書」（2014年8月）

「日本再興戦略」改訂 2014	「『日本再興戦略』改訂 2014―未来への挑戦―」（2014 年 6 月 24 日）
金融庁パブコメ回答	金融庁「コーポレートガバナンス・コード原案 主なパブリックコメント（和文）の概要及びそれに対する回答」（2015 年 3 月 5 日）
2018 年コード改訂パブコメ回答	東証「『フォローアップ会議の提言を踏まえたコーポレートガバナンス・コードの改訂について』に寄せられたパブリック・コメントの結果について」（2018 年 6 月 1 日）
2021 年コード改訂パブコメ回答	東証「『フォローアップ会議の提言を踏まえたコーポレートガバナンス・コードの一部改訂に係る上場制度の整備について（市場区分の再編に係る第三次制度改正事項）』に寄せられたパブリック・コメントの結果について」（2021 年 6 月 11 日）
2018 年対話ガイドライン策定パブコメ回答	金融庁「投資家と企業の対話ガイドライン案に対するご意見の概要及びそれに対する回答」（2018 年 6 月 1 日）
2021 年対話ガイドライン改訂パブコメ回答	金融庁「投資家と企業の対話ガイドライン改訂案に対するご意見の概要及びそれに対する回答」（2021 年 6 月 11 日）
東証上場第 35 号	東証「東証上場第 35 号　コーポレートガバナンス・コードの策定に伴う有価証券上場規程等の一部改正に係る実務上の取扱い等について」（2015 年 5 月 13 日）
ガバナンス報告書記載要領	東証「コーポレート・ガバナンスに関する報告書記載要領（2021 年 6 月改訂版）」
スチュワードシップ・コード	日本版スチュワードシップ・コードに関する有識者検討会「『責任ある機関投資家』の諸原則《日本版スチュワードシップ・コード》～投資と対話を通じて企業の持続的成長を促すために～」（2020 年 3 月 24 日再改訂）
有識者会議	コーポレートガバナンス・コードの策定に関する有識者会議
コード原案	コーポレートガバナンス・コードの策定に関する有識者会議「コーポレートガバナンス・コード原案～会社の持続的な成長と中長期的な企業価値の向上のために～」（2015 年 3 月 5 日）
コード、2021 年改訂コード	東証「コーポレートガバナンス・コード～会社の持続的な成長と中長期的な企業価値の向上のために～」（2021 年 6 月 11 日改訂）

頻出引用文献等の略語

2018年改訂コード	東証「コーポレートガバナンス・コード〜会社の持続的な成長と中長期的な企業価値の向上のために〜」（2018年6月1日改訂）
2018年改訂前コード	東証「コーポレートガバナンス・コード〜会社の持続的な成長と中長期的な企業価値の向上のために〜」（2015年5月1日）
対話ガイドライン、2021年改訂対話ガイドライン	金融庁「投資家と企業の対話ガイドライン」（2021年6月11日改訂）
2021年改訂前対話ガイドライン	金融庁「投資家と企業の対話ガイドライン」（2018年6月1日）
コードの改訂と対話ガイドラインの策定について	スチュワードシップ・コード及びコーポレートガバナンス・コードのフォローアップ会議「コーポレートガバナンス・コードの改訂と投資家と企業の対話ガイドラインの策定について」（2018年3月26日（同月30日更新））
2021年改訂提言	スチュワードシップ・コード及びコーポレートガバナンス・コードのフォローアップ会議「コーポレートガバナンス・コードと投資家と企業の対話ガイドラインの改訂について」（2021年4月6日）
コーポレート・ガバナンス・システムに関する実務指針	経済産業省「コーポレート・ガバナンス・システムに関する実務指針（CGSガイドライン）」（2018年9月28日改訂）
神作	神作裕之「コーポレートガバナンス・コードの法制的検討―比較法制の観点から―」旬刊商事法務2068号（2015）13〜23頁
東証	東京証券取引所
ガバナンス報告書	コーポレート・ガバナンスに関する報告書
フォローアップ会議	スチュワードシップ・コード及びコーポレートガバナンス・コードのフォローアップ会議

序

　平成27年3月5日、有識者会議でコード原案が確定した。東証においては、平成27年6月1日に改正上場規則を施行し、上場会社は、コードの趣旨・精神を尊重すべきとされ、また、コードの各原則について「コンプライ・オア・エクスプレイン」（原則を実施するか、実施しない場合にはその理由を説明するか）が求められるようになった。

　コードは、わが国の多くの上場会社にとっては必ずしも馴染みのない、プリンシプルベース・アプローチやコンプライ・オア・エクスプレインと呼ばれる手法を用いた規範である。しかも、プリンシプルベース・アプローチの下、コードの各原則には「抽象的で大掴み」な規定ぶりとなっているものが少なくなく、概念の定義自体もあえて避けられている一方で、上場会社がこれを恣意的に解釈してよいわけではなく、各原則の趣旨・精神を踏まえた合理的な解釈の幅には自ずと制約がある。

　また、コードの各原則の内容は、上場会社関係者にほとんど異論のないものから、多くの経営者にとっては馴染みが薄い内容まで多岐に及んでいる。そもそもわが国におけるコーポレート・ガバナンスの論議は、百家争鳴ともいうべき多様な意見が混在し、収斂できない状況が長らく続いていた。

　そして、コードについては、単なる表層的な実施（コンプライ）には意味はなく、各原則の内容について正確に理解した上で、その是非を含めた活発な検討・議論を経て、実施（コンプライ）するか、あるいは堂々と実施しない理由を説明（エクスプレイン）することが、コードが作成された意図にも合致し、重要である。

　そこで、コンプライ・オア・エクスプレインの判断の前提となる、各原則の趣旨や背景、これらに関連して参考となる事項等について、Q&Aの形式にて、筆書らの理解をまとめた。執筆に当たっては、できるだけ客観的な解釈・整理を試みたものであるが、本書の内容も各上場会社の判断の一要素としていただき、深度ある評価・判断に基づくコンプライ・オア・エクスプレインの参考にしていただければ幸いである。

第 1 章

コーポレートガバナンス・コード全体

Q1　コーポレートガバナンス・コードとは何か。

●解説

　コーポレートガバナンス・コードとは、実効的なコーポレートガバナンスの実現に資する主要な原則を示すものであり、厳格な法規範ではなく、いわゆるソフトローに属する規範として、欧州・アジアを中心に各国で広く採用されている。各国において制定主体やその実効性担保の手法は異なるものの、プリンシプルベース・アプローチ（後記 Q10 参照）やコンプライ・オア・エクスプレインの手法（後記 Q9 参照）を採用している点は、各国のコードにおいて概ね共通している[注]。

　日本においては、東証がコードの制定主体とされており、コードの位置づけについては、コード原案の序文の冒頭において、「『コーポレートガバナンス』とは、会社が、株主をはじめ顧客・従業員・地域社会等の立場を踏まえた上で、透明・公正かつ迅速・果断な意思決定を行うための仕組みを意味する。」と明記されている。

　上場規則上、上場会社は、コードの趣旨・精神を尊重しなければならず（有価証券上場規程 445 条の 3）、上場会社の区分に従い必要となる範囲は異なるものの、コードの各原則を実施するか、実施しない場合にはその理由を説明する必要がある（有価証券上場規程 436 条の 3）。

（注）油布ほか〔Ⅰ〕48 頁。

Q2 コーポレートガバナンス・コードの概要はどのようなものになっているのか。

●解説

　コーポレートガバナンス・コードは、①株主の権利・平等性の確保、②株主以外のステークホルダーとの適切な協働、③適切な情報開示と透明性の確保、④取締役会等の責務、⑤株主との対話という5つの「基本原則」と、その「基本原則」を具体化する31の「原則」および「原則」に関連する47の「補充原則」の全83原則から構成されている(注)。

　コードの基本原則、原則および補充原則は、以下のとおりである（詳細は資料1参照）。

〔図表2〕基本原則、原則および補充原則

基本原則	原則	補充原則
基本原則1（株主の権利・平等性の確保）	原則1-1（株主の権利の確保）	補充原則1-1① 補充原則1-1② 補充原則1-1③
	原則1-2（株主総会における権利行使）	補充原則1-2① 補充原則1-2② 補充原則1-2③ 補充原則1-2④ 補充原則1-2⑤
	原則1-3（資本政策の基本的な方針）	
	原則1-4（政策保有株式）	補充原則1-4① 補充原則1-4②
	原則1-5（いわゆる買収防衛策）	補充原則1-5①
	原則1-6（株主の利益を害する可能性のある資本政策）	
	原則1-7（関連当事者間の取引）	
基本原則2（株主以外のステークホルダーとの適切な協働）	原則2-1（中長期的な企業価値向上の基礎となる経営理念の策定）	
	原則2-2（会社の行動準則の策定・実践）	補充原則2-2①

	原則2-3（社会・環境問題をはじめとするサステナビリティを巡る課題）	補充原則2-3①
	原則2-4（女性の活躍促進を含む社内の多様性の確保）	補充原則2-4①
	原則2-5（内部通報）	補充原則2-5①
	原則2-6（企業年金のアセットオーナーとしての機能発揮）	
基本原則3（適切な情報開示と透明性の確保）	原則3-1（情報開示の充実）	補充原則3-1① 補充原則3-1② 補充原則3-1③
	原則3-2（外部会計監査人）	補充原則3-2① 補充原則3-2②
基本原則4（取締役会等の責務）	原則4-1（取締役会の役割・責務(1)）	補充原則4-1① 補充原則4-1② 補充原則4-1③
	原則4-2（取締役会の役割・責務(2)）	補充原則4-2① 補充原則4-2②
	原則4-3（取締役会の役割・責務(3)）	補充原則4-3① 補充原則4-3② 補充原則4-3③ 補充原則4-3④
	原則4-4（監査役及び監査役会の役割・責務）	補充原則4-4①
	原則4-5（取締役・監査役等の受託者責任）	
	原則4-6（経営の監督と執行）	
	原則4-7（独立社外取締役の役割・責務）	
	原則4-8（独立社外取締役の有効な活用）	補充原則4-8① 補充原則4-8② 補充原則4-8③
	原則4-9（独立社外取締役の独立性判断基準及び資質）	
	原則4-10（任意の仕組みの活用）	補充原則4-10①

		原則 4-11（取締役会・監査役会の実効性確保のための前提条件）	補充原則 4-11 ① 補充原則 4-11 ② 補充原則 4-11 ③
		原則 4-12（取締役会における審議の活性化）	補充原則 4-12 ①
		原則 4-13（情報入手と支援体制）	補充原則 4-13 ① 補充原則 4-13 ② 補充原則 4-13 ③
		原則 4-14（取締役・監査役のトレーニング）	補充原則 4-14 ① 補充原則 4-14 ②
	基本原則 5（株主との対話）	原則 5-1（株主との建設的な対話に関する方針）	補充原則 5-1 ① 補充原則 5-1 ② 補充原則 5-1 ③
		原則 5-2（経営戦略や経営計画の策定・公表）	補充原則 5-2 ①

（注）2018 年改訂コードは、5 つの「基本原則」、31 の「原則」、42 の「補充原則」の全 78 原則から構成されていた。2021 年改訂コードから、補充原則 2-4 ①、補充原則 3-1 ③、補充原則 4-2 ②、補充原則 4-8 ③、補充原則 5-2 ①が新設されている。

Q3　コードの策定経緯と策定後の状況はどのようなものだったか。

●解説

　コードは、2014年8月の有識者会議の第1回会議からコード原案の確定までは7カ月、パブリックコメントまでは4カ月という短期間で策定された。

　その背景としては、2014年6月に閣議決定された「日本再興戦略」改訂2014における成長戦略（第3の矢）の冒頭部分（Ⅱ．1．「日本の『稼ぐ力』を取り戻す」）の冒頭部分（「(1)企業が変わる」）のさらに冒頭部分で、コーポレートガバナンス改革への言及がなされており、コーポレートガバナンス改革が、成長戦略のいわば「1丁目1番地」として位置づけられたことが挙げられる[注]。

　コードの策定後も、スチュワードシップ・コードを含めて普及・定着状況をフォローアップするとともに、上場企業全体のコーポレートガバナンスの更なる充実に向けて必要な施策を議論・提言することを目的として、フォローアップ会議が設置されており、コードの実施が形式だけでなく実質を伴ったものとなっているか、ガバナンス体制の強化が経済の好循環につながっているか、企業と投資家の対話が建設的な形で進んでいるか等についての検討がなされている（後記Q5参照）。

　そして、コード原案の序文16項においても、将来、コードは改訂の検討に付されることが想定されていたところ、既に2018年に一度コードの改訂が行われている。そのため、2021年のコードの改訂は二度目の改訂となる。

(注)「日本再興戦略」改訂2014・4頁。

Q4　2021年改訂の経緯とその概要はどのようなものか。

●解説

　コーポレートガバナンス改革は、2014年のスチュワードシップ・コード策定（2017年改訂・2020年再改訂）、2015年のコード策定（2018年改訂）等の施策により一定の進捗がみられるものの、企業側について、指名委員会、報酬委員会が設置されていながらも委員構成の偏り等によりその機能が必ずしも十分に発揮されておらず、企業価値向上の観点から適切な資質を備えた独立社外取締役の選定に必ずしもつながっていないなど、さまざまな課題が指摘されていた。こうした中、2019年4月には、フォローアップ会議において、「コーポレートガバナンス改革の更なる推進に向けた検討の方向性」（「スチュワードシップ・コード及びコーポレートガバナンス・コードのフォローアップ会議」意見書（4））が公表され、監査に対する信頼の確保とグループガバナンスのあり方といった課題を含む横断的な検討を行うとの方向性が示された。また、2019年12月には、金融審議会市場ワーキング・グループ「市場構造専門グループ報告書―令和時代における企業と投資家のための新たな市場に向けて―」が公表され、東証の市場区分をプライム市場、スタンダード市場、グロース市場の三市場に再編するとともに、プライム市場に上場する企業については、わが国を代表する投資対象として優良な企業が集まる市場にふさわしいガバナンスの水準を求めていく必要があるとの考え方が示された。さらに、その後、企業がコロナ後の経済社会構造に向けた変革を主導できるためのコーポレートガバナンスのあり方を検討する必要があるとの観点から、フォローアップ会議においてコードの改訂に向けた検討を行うとの方針が、令和2事務年度金融行政方針において示された。こうした動きを受けて、2020年10月に約1年半ぶりにフォローアップ会議が再開され、同年12月に「コロナ後の企業の変革に向けた取締役会の機能発揮及び企業の中核人材の多様性の確保」（「スチュワードシップ・コード及びコーポレートガバナンス・コードのフォローアップ会議」意見書（5））がとりまとめられ、取締役会の機能発揮と企業の中核人材の多様性の確保に関する考え方が示された[注]。

　その後も、フォローアップ会議において、サステナビリティやグループガバナンス、監査に対する信頼性の確保をはじめとする項目についても議論・

検討が重ねられた。

　このような議論・検討の結果、フォローアップ会議において、コードおよび対話ガイドライン（後記Q6参照）の改訂が提言された。2021年改訂コードおよび2021年改訂対話ガイドラインが公表されるまでの経緯は、**図表4－①**のとおりである。

〔図表4－①〕2021年改訂コードおよび2021年改訂対話ガイドラインが公表されるまでの経緯

2020年12月18日	・フォローアップ会議が「コロナ後の企業の変革に向けた取締役会の機能発揮及び企業の中核人材の多様性の確保」（「スチュワードシップ・コード及びコーポレートガバナンス・コードのフォローアップ会議」意見書(5)）を公表
2021年3月31日	・第26回フォローアップ会議にて「コーポレートガバナンス・コードと投資家と企業の対話ガイドラインの改訂について（案）」等の配布資料に基づく討議
2021年4月6日	・フォローアップ会議が「コーポレートガバナンス・コードと投資家と企業の対話ガイドラインの改訂について」を提言
2021年4月7日～5月7日	・コードおよび対話ガイドラインの改訂案についてパブリックコメント手続
2021年6月11日	・2021年改訂コードおよび2021年改訂対話ガイドラインが公表

　2021年改訂コードでは、①取締役会の機能発揮、②企業の中核人材における多様性の確保、③サステナビリティをめぐる課題への取組みという3つのポイントを中心に、グループガバナンスのあり方、監査に対する信頼性の確保および内部統制・リスク管理、株主総会関係、事業ポートフォリオの検討等に関する内容について改訂が行われている。2021年改訂におけるコードの改訂の概要は、**図表4－②**のとおりである。

〔図表4－②〕2021年改訂におけるコードの改訂の概要

①取締役会の機能発揮	・プライム市場上場企業において、独立社外取締役を3分の1以上選任（必要な場合には、過半数の選任の検討を慫慂） ・経営戦略に照らして取締役会が備えるべきスキル（知識・経験・能力）と、各取締役のスキルとの対応関係の公表 ・他社での経営経験を有する経営人材の独立社外取締役への選任 ・指名委員会・報酬委員会の設置（プライム市場上場企業は、独立社外取締役を委員会の過半数選任を基本とする）
②企業の中核人材の多様性の確保	・管理職における多様性の確保（女性・外国人・中途採用者の登用）についての考え方と測定可能な自主目標の設定 ・多様性の確保に向けた人材育成方針・社内環境整備方針をその実施状況とあわせて公表
③サステナビリティを巡る課題への取組み	・サステナビリティについて基本的な方針の策定 ・サステナビリティについての取組みの開示（特にプライム市場上場企業において、TCFD又はそれと同等の国際的枠組みに基づく気候変動開示の質と量を充実）
④上記以外の主な課題	・[グループガバナンスの在り方] プライム市場に上場する「子会社」において、独立社外取締役を過半数選任又は利益相反管理のための委員会の設置 ・[監査に対する信頼性の確保及び内部統制・リスク管理] グループ全体を含めた適切な内部統制や全社的リスク管理体制の構築やその運用状況の監督／内部監査部門が取締役会及び監査役会等に対しても適切に直接報告を行う仕組みの構築 ・[株主総会関係] プライム市場上場企業において、議決権電子行使プラットフォーム利用と英文開示の促進 ・[事業ポートフォリオの検討] 取締役会で決定された事業ポートフォリオに関する基本的な方針や見直しの状況の説明

(注) 以上の経緯について、島崎ほか4〜5頁参照。

Q5 フォローアップ会議とは何か。

●解説

スチュワードシップ・コードおよびコーポレートガバナンス・コードの普及・定着状況をフォローアップするとともに、上場企業全体のコーポレートガバナンスの更なる充実に向けて、必要な施策を議論・提言することを目的として、金融庁にフォローアップ会議が設置され、2015年9月に第1回会議が開催された(注)。フォローアップ会議においては、次の各項目について議論することとされた。

- 両コードの実施・定着状況のフォローアップ
  - ▶形式だけでなく、実質を伴ったものとなっているか
  - ▶ガバナンス体制の強化が経済の好循環につながっているか
  - ▶企業と投資家の対話が建設的な形で進んでいるか
- 両コードの普及・周知に向けた方策についての議論・助言
- コーポレートガバナンスやスチュワードシップ責任の更なる充実に向けた議論

2015年9月から2019年4月まで、計19回の会議が開催された後、その後約1年半の期間をおいて、2020年10月から2021年3月まで、計7回の会議が開催され、2021年改訂コードの内容等について討議がなされた(前記Q4参照)。

2021年改訂コードの内容等に関連するフォローアップ会議の概要は次のとおりである。

〔図表5〕2021年改訂コードの内容等に関連するフォローアップ会議の概要

第20回(2020年10月20日)	・コロナ後の企業の変革に向けたコーポレートガバナンスの課題
第21回(2020年11月18日)	・コロナ後の企業の変革に向けたコーポレートガバナンスの課題(2) ・コーポレートガバナンスと市場区分 ・取締役会の機能発揮と多様性の確保

第22回（2020年12月8日）	・「コロナ後の企業の変革に向けた取締役会の機能発揮及び企業の中核人材の多様性の確保（案）」（「スチュワードシップ・コード及びコーポレートガバナンス・コードのフォローアップ会議」意見書（5）） ・取締役会の機能発揮と多様性の確保（2） ・株主総会に関する課題
第23回（2021年1月26日）	・グループガバナンス／株式の保有構造等 ・資本コスト関係
第24回（2021年2月15日）	・ESG要素を含む中長期的な持続可能性（サステナビリティ）について ・企業と投資家の対話の充実／企業年金受益者と母体企業の利益相反管理
第25回（2021年3月9日）	・監査の信頼性の確保／内部統制・リスクマネジメントについて ・その他の論点について
第26回（2021年3月31日）	・コーポレートガバナンス・コード改訂案 ・投資家と企業の対話ガイドライン改訂案

（注）https://www.fsa.go.jp/singi/follow-up/index.html

Q6　対話ガイドラインとは何か。

●解説

　対話ガイドラインとは、「スチュワードシップ・コード及びコーポレートガバナンス・コードの実効的な『コンプライ・オア・エクスプレイン』を促すため、コードの改訂にあわせ、機関投資家と企業の対話において重点的に議論することが期待される事項を取りまとめた」ものとして策定が提言されたものであり[注1]、対話ガイドラインの前文によれば、コードおよびスチュワードシップ・コードの附属文書として位置づけられている。

　対話ガイドラインの内容自体について、「コンプライ・オア・エクスプレイン」が求められるものではないが、対話ガイドラインは、両コードの実効的な「コンプライ・オア・エクスプレイン」を促すことを意図している。2018年改訂コードの改訂箇所の特定は、対話ガイドラインの内容に沿って行われたこともあり[注2]、対話ガイドラインは、いわば両コードの補足説明の側面がある。対話ガイドラインの前文においても、「企業がコーポレートガバナンス・コードの各原則を実施する場合（各原則が求める開示を行う場合を含む）や、実施しない理由の説明を行う場合には、本ガイドラインの趣旨を踏まえることが期待される。」との言及がなされている。

　対話ガイドラインの項目は以下のとおりである。
- 経営環境の変化に対応した経営判断
- 投資戦略・財務管理の方針
- CEOの選解任・取締役会の機能発揮等
- ガバナンス上の個別課題（株主総会の在り方、政策保有株式、アセットオーナー）

〔図表6〕2021年改訂における対話ガイドラインの改訂の概要

1-3	経営環境の変化の観点から、①ESG・SDGs・DX・サイバーセキュリティ・サプライチェーンの適正取引等の環境変化の経営戦略等への反映、②サステナビリティを全社的に検討・推進する枠組み
2-2	営業キャッシュフローの確保といった持続的な経営戦略等

3-2、3-5、3-6、3-8	取締役会の機能発揮の観点から、①指名・報酬委員会が必要な権限を有するか、②多様性として職歴・年齢の追加、③各取締役や委員会の実効性評価、④適切なスキルを有する社外取締役、⑤議長を社外取締役とする選択
3-10～12	監査役の機能発揮・監査の信頼性の確保関係
4-1-1～4	株主総会の在り方について、①相当数の反対があった場合の対話の充実、②WEB公表の早期化などによる招集通知の検討期間の確保、③有報の早期提出や非常時も視野にいれた日程の検討、④バーチャル総会における株主利益の確保のための透明性・公正性の確保
4-2-1	政策保有株式の保有の検証への独立社外取締役の実効的な関与
4-3-2	企業年金の適切な運営の妨害の防止
4-4-1	筆頭独立社外取締役などによる株主との面談

(注1) コードの改訂と対話ガイドラインの策定について1頁。
(注2) フォローアップ会議（第14回）資料2。

Q7 2021年改訂コードに対応するガバナンス報告書の提出期限はどうなっているか。更新に際して留意すべき事項は何か。

●解説

　2021年のコードの改訂に対応して東証の有価証券上場規程が一部改正され、2021年6月11日に施行された。付則により、2021年改訂コードに対応したガバナンス報告書の提出期限は、会社の決算期にかかわらず、「準備が出来次第速やかに、かつ、遅くとも令和3年12月末日までに提出するもの」とされている。したがって、たとえば、2021年6月総会後に2021年改訂コードへの対応を検討する会社においては、総会後に2018年コード改訂に対応したガバナンス報告書を提出した上で、12月末までに2021年改訂コードに対応したガバナンス報告書を提出することも考えられる[注]。また、プライム市場上場会社のみに適用される原則等に関しては、準備期間等も鑑み、「令和4年4月4日においてプライム市場に上場している内国株券の発行者及び同日以後にプライム市場への新規上場を行うことが見込まれる者から適用する」ことになる。

（注）その結果、2021年改訂コードに対応したガバナンス報告書と対応していないガバナンス報告書が混在することになるため、2021年改訂コードに基づき記載する場合には、その旨を、ガバナンス報告書の「コードの各原則を実施しない理由」欄の冒頭で明記するよう求められている（ガバナンス報告書記載要領Ⅰ1.(1)）。具体的には、「2021年6月の改訂後のコードに基づき記載しています。」などの記載をすることが考えられる（島崎ほか20頁）。

> **Q8** プライム市場向けのコードの原則とは何か。

●解説

　東証は、市場第一部・市場第二部・マザーズ・JASDAQ（スタンダードおよびグロース）の5つの市場区分に関して、2022年4月4日付で、プライム市場・スタンダード市場・グロース市場の3つの市場区分への見直しを行うこととなった。フォローアップ会議の「コーポレートガバナンス・コードと投資家と企業の対話ガイドラインの改訂について」においても、「プライム市場は、我が国を代表する投資対象として優良な企業が集まる、国内のみならず国際的に見ても魅力あふれる市場となることが期待される。そこで、プライム市場上場会社は一段高いガバナンスを目指して取組みを進めていくことが重要となる。」という理解が示され、これらの新市場区分のコンセプトを踏まえて、コードの適用範囲についても、次のとおり、プライム市場向けのコードの原則が設けられた。

〔図表8〕プライム市場向けのコードの各原則

原則	内容
補充原則1－2④	・少なくとも機関投資家向けに議決権電子行使プラットフォームを利用可能とすること
補充原則3－1②	・開示書類のうち必要とされる情報について、英語での開示・提供を行うこと
補充原則3－1③	・気候変動に係るリスク及び収益機会が自社の事業活動や収益等に与える影響についての必要なデータの収集と分析を行うこと ・TCFDまたはそれと同等の枠組みに基づく開示の質と量の充実を進めること
原則4－8	・独立社外取締役を少なくとも3分の1以上選任すること ・業種・規模・事業特性・機関設計・会社をとりまく環境等を総合的に勘案して、過半数の独立社外取締役を選任することが必要と考える場合は、十分な人数の独立社外取締役を選任すること

補充原則4－8③	・支配株主を有するプライム市場上場会社は、取締役会において支配株主からの独立性を有する独立社外取締役を過半数選任すること（または特別委員会を設置すること）
補充原則4－10①	・各委員会の構成員の過半数を独立社外取締役とすることを基本とし、その委員会構成の独立性に関する考え方・権限・役割等を開示すること

Q9
コンプライ・オア・エクスプレインの手法を採用しているのであれば、上場会社はコードに従う義務はないのか。

● 解説

　有価証券上場規程445条の3は、「上場会社は、別添『コーポレートガバナンス・コード』の趣旨・精神を尊重してコーポレート・ガバナンスの充実に取り組むよう努めるものとする。」と定めており、上場会社にはコードの趣旨・精神を尊重することが求められている。

　しかし、コードは、実効的なコーポレートガバナンスの実現に資するための主要な原則を示すソフトローに属する規範であって、厳格な法規範ではなく(注)、また、コンプライ・オア・エクスプレインの手法を採用している。そのため、コードの適用を受ける各社は、自らの個別事情に照らしてコンプライすることが適当でないと考える原則があれば、その理由を十分にエクスプレインすることにより、一部の原則をコンプライしないことも許容される。

　とりわけ、コードは、「攻めのガバナンス」により企業価値の向上を目指すものとされており、また、投資家側の意見も踏まえ、資本生産性の改善をも意図した内容になっていると考えられることからすれば、自らの経営による企業価値の向上やその資本生産性、さらには株主・投資家の理解に自信のある会社は、その考えと異なるコードの各原則をコンプライせず、堂々とコンプライしない理由をエクスプレインすることがむしろ期待されているといえる。そのようなエクスプレインはわが国のコーポレートガバナンスの進化にとっても有益である。

　ただし、エクスプレインを選択する場合、そのエクスプレインには、株主等のステークホルダーに対する十分な説得力が必要であり、かかる説得力を付すためには、調査・分析等に一定のコストが生じることも考えられる。

　なお、基本原則も、コードの原則を構成するものとして、コンプライ・オア・エクスプレインの対象となる。したがって、論理的には、基本原則についてもエクスプレインを行うことは可能と考えられるが、基本原則は、上場会社であれば通常は実施すべきと考えられる基本的な考え方を示したものであり、その内容に鑑みると、基本原則を実施しない合理的な理由を見出してエクスプレインを行うことは、事実上困難であるとも考えられる。

また、コードの各原則を実施しない場合の理由の説明義務については、東証の企業行動規範の中の「遵守すべき事項」として規定されているため（有価証券上場規程436条の3）、「コンプライもエクスプレインも行わない」という場合には、実効性確保のための公表措置等の制裁の対象となる余地がある（有価証券上場規程508条1項(2)等）。

（注）油布ほか〔Ⅰ〕48頁。

Q10 プリンシプルベース・アプローチならば会社の裁量が広いのか。

●解説

　コードは、プリンシプルベース・アプローチ（原則主義）を採用している。このプリンシプルベース・アプローチは、規制のあり方として、ルールベース・アプローチ（細則主義）と対置される概念であり、詳細なルール（細則）を設定するのではなく、重要な原則を示した上で、これらの原則の遵守を求めることにより、各社の自主的な取組みを促すというものである[注1]。

　コードでは、このようなプリンシプルベース・アプローチが採用されているため、使用する用語には、法令のように厳格な定義が置かれず、あえて解釈の幅を残したものも含まれている。これらの用語の解釈に関しては、一義的には会社の自主的な判断に委ねられており、会社がコードの趣旨や精神に照らして解釈することが想定されているが（コード原案序文10項）、他方で、会社による恣意的な解釈が許容されているわけではない[注2]。むしろ、会社には、コードの各原則の趣旨・精神の十分な理解の下、当該会社において各原則の趣旨・精神を全うするためにはかかる用語をどのように解釈するのが適切であるかという観点から、会社が目指すコーポレートガバナンスのあり方から遡って対応を検討することが求められている。コード原案の序文において、「株主等のステークホルダーに対する説明責任等を負うそれぞれの会社が」用語を解釈するものとされているのも（コード原案序文10項）、かかる趣旨を示すものであると考えられる。

　したがって、用語の解釈が一義的には各社の判断に委ねられているといっても、コードの趣旨・精神に適合しない解釈が許容されるものではなく、会社の判断は、あくまで、コードの趣旨・精神を踏まえた合理的なものでなければならない。

（注1）金融審議会金融分科会・我が国金融・資本市場の国際化に関するスタディ・グループ「中間論点整理（第1次）」（2007）4頁。
（注2）油布ほか〔Ｉ〕50頁。

> **Q11** エクスプレインする会社はどの程度あるか。

● 解説

　コーポレート・ガバナンス白書2021によれば、2020年8月14日時点で、3,677社がコードに対応した開示を行っている。そのうち市場第一部および市場第二部の上場会社のコンプライの状況は次のとおりであり、全原則をコンプライしている会社は21.6％、90％以上の原則をコンプライしている会社は62.5％であった。

〔図表11〕市場第一部および第二部の上場会社のコンプライの状況

		市場一部	市場二部	合計
開示数		2,172社	480社	2,652社
全原則をコンプライしている会社の割合		26.0％	1.7％	21.6％
一部原則をエクスプレインしている会社の割合	コンプライ90％以上	62.6％	62.1％	62.5％
	コンプライ90％未満	11.5％	36.3％	16.0％

Q12 エクスプレインが多い傾向にある原則はどれか。

●解説

　プリンシプルベース・アプローチの下、コードの各原則における規律の内容をいかに解するかは、基本的に各社の合理的な判断に委ねられている。しかし、文言の抽象度が低く、会社に具体的な行為を求める原則については、合理的な解釈の幅が必然的に狭くなるため、他の原則に比して、コンプライせずエクスプレインを選択する会社が相対的に多い傾向にある。

　2020年8月時点で、市場第一部および市場第二部の上場会社において、エクスプレインを選択する会社が相対的に多い原則は、主に**図表12**のとおりである(注)。

〔図表12〕エクスプレインが多い傾向にある原則

原則	内容	割合（2020年8月時点）
補充原則1-2④	議決権の電子行使のための環境整備、招集通知の英訳	51.0%
補充原則4-10①	指名・報酬等の検討における独立社外取締役の関与・助言	41.3%
補充原則4-1③	取締役会による経営理念等や後継者計画の策定・運用への主体的な関与、後継者候補の育成に対する適切な監督	29.6%
補充原則3-1②	海外投資家等の比率等を踏まえた英語での情報の開示・提供の推進	28.5%
補充原則4-2①	中長期的な業績と連動する報酬の割合、現金報酬と自社株報酬との割合の適切な設定	27.0%
原則4-11	取締役会・監査役会の実効性確保のための前提条件	25.4%

(注) コーポレート・ガバナンス白書2021を参照。

Q13　どのようにエクスプレインすればよいのか。

●解説

　コードの各原則を実施しない場合には、その理由のエクスプレインを行うことが求められる。東証により、このようなエクスプレインは、ガバナンス報告書に新設された「コードの各原則を実施しない理由」欄において、コンプライしない原則を項番等により具体的に特定し、どの原則に関するエクスプレインであるかを明示して記載することが求められ、実施しない理由の記載に当たっては、自社の個別事情を記載することや、今後の取組み予定・実施時期の目途がある場合はそれらを、また、代替手段によってコードの趣旨を実現している場合にはその旨を記載すること等が考えられるとされている[注1]。

　コードの各原則に関するエクスプレインの内容の当否・十分性については、法令のように明確な基準があるわけではなく、コンプライしていないことが明らかであるにもかかわらず一切エクスプレインを拒絶する場合や、エクスプレインの内容が明らかに虚偽である場合を除けば、説明義務違反を理由として有価証券上場規程に基づく制裁（実効性確保措置）が行われる場面は想定し難いと考えられる[注2]。したがって、基本的には、株主・投資家等のステークホルダーの評価に委ねられるものと考えられる（後記Q147参照）。

(注1)　ガバナンス報告書記載要領Ⅰ 1.(1)。
(注2)　佐藤59頁。

Q14 エクスプレインにおけるひな型的対応への批判は何を問題視しているのか。

● 解説

　コード原案の序文12項は、エクスプレインを行う際には「実施しない原則に係る自らの対応について、株主等のステークホルダーの理解が十分に得られるよう工夫すべき」であるとし、「ひな型」的な表現により表層的な説明に終始することは「コンプライ・オア・エクスプレイン」の趣旨に反する旨を述べている。

　そこで問題視されているのは、「コンプライ・オア・エクスプレイン」の手法が期待する機能が発揮されなくなるのではないかという点である。すなわち、コードが「コンプライ・オア・エクスプレイン」の手法を採用した趣旨は、すべての企業にとってベスト・プラクティスが1つであるとは限らないという考え方に基づき、開示および説明を通じて各社のコーポレートガバナンスの透明性を高め、市場によりコーポレートガバナンス・コードのエンフォースメントを図る点にある[注1]。ところが、ひな型的な表現により表層的なエクスプレインに終始する場合には、市場参加者の側においてエクスプレインの妥当性を評価できず、その結果、「コンプライ・オア・エクスプレイン」の手法に期待された、市場参加者の行動に影響を与えベスト・プラクティスをもたらすといった機能が発揮されなくなるおそれがあると考えられている[注2]。

　こうした問題意識から、他国においては、エクスプレインの内容についての評価機関を設置する等、「意味のある説明」を促すための努力が行われている[注3]。

(注1) 神作17～18頁。
(注2) 神作18～19頁、油布志行「コーポレートガバナンス・コードについて」商事法務2068号（2015）9頁。
(注3) 神作19頁、22頁注37、23頁注38。

Q15 コンプライした場合にガバナンス報告書に開示すべき事項は何か。

●解説

　コードの原則のうち、特定の事項について「開示」を求めるものが14あり、これらの原則については、当該事項の開示を行うこと自体がコンプライの内容として求められる。この開示は、ガバナンス報告書の「コードの各原則に基づく開示」欄に記載することとされているが、他の開示・公表書類における記載場所を明記することでガバナンス報告書での記載に代えることもできるものとされている(注1)。たとえば、有価証券報告書、アニュアルレポートまたは自社のウェブサイト等(注2)の広く一般に公開される手段により該当する内容を開示している場合に、その内容を参照すべき旨と閲覧方法(ウェブサイトのURL等)をガバナンス報告書の「コードの各原則に基づく開示」欄に記載すること等により対応を行う会社も存在する。

　なお、マザーズ・JASDAQの上場会社(注3)は、コードのうち基本原則部分についてのみのコンプライ・オア・エクスプレインを行えば足りるとされ、特定の事項を開示すべきとする14の原則に基づく開示を行う必要はないとされている（ただし、任意に開示を行うことは妨げられない(注4)）。

　特定の事項の開示を求める原則および開示が求められる事項は、図表15のとおりである。

〔図表15〕特定の事項の開示を求める原則および開示が求められる事項

原則	開示が求められる事項
原則1-4	・政策保有株式の縮減に関する方針・考え方など、政策保有に関する方針 ・毎年の取締役会における、個別の政策保有株式の保有の適否に関する検証の内容 ・政策保有株式に係る議決権の行使について、適切な対応を確保するための具体的な基準
原則1-7	・関連当事者間の取引についての適切な手続の枠組み
補充原則2-4①	・中核人材の登用等における多様性の確保についての考え方と自主的かつ測定可能な目標、及びその状況 ・多様性の確保に向けた人材育成方針と社内環境整備方針、及びその実施状況

原則 2-6	・企業年金の積立金の運用に関する人事面や運営面における取組みの内容
原則 3-1	・会社の目指すところ（経営理念等）や経営戦略、経営計画 ・コーポレート・ガバナンスに関する基本的な考え方と基本方針 ・取締役会が経営陣幹部・取締役の報酬を決定するに当たっての方針と手続 ・取締役会が経営陣幹部の選解任と取締役・監査役候補の指名を行うに当たっての方針と手続 ・取締役会が経営陣幹部の選解任と取締役・監査役候補の指名を行う際の、個々の選解任・指名についての説明
補充原則 3-1 ③	・自社のサステナビリティについての取組み ・人的資本、知的財産への投資等
補充原則 4-1 ①	・経営陣に対する委任の範囲の概要
原則 4-9	・独立社外取締役となる者の独立性をその実質面において担保することに主眼を置いた独立性判断基準
補充原則 4-10 ①	・プライム市場上場会社における委員会構成の独立性に関する考え方・権限・役割等
補充原則 4-11 ①	・取締役会の全体としての知識・経験・能力のバランス、多様性および規模に関する考え方、スキル・マトリックスをはじめとする取締役の有するスキル等の組み合わせ
補充原則 4-11 ②	・取締役・監査役が他の上場会社の役員を兼任する場合における兼任状況
補充原則 4-11 ③	・取締役会全体の実効性についての分析・評価の結果の概要
補充原則 4-14 ②	・取締役・監査役に対するトレーニングの方針
原則 5-1	・株主との建設的な対話を促進するための体制整備・取組みに関する方針

　以上のように直接的にガバナンス報告書における開示を求める原則のほか、コードの原則の中には、コンプライする場合に一定の開示を行うことが想定されるものも存する。例えば、補充原則 3-1 ③後段（統合報告書等における TCFD 開示等）、原則 5-2（経営戦略・経営計画における収益計画や資本政策の基本方針等の開示）、補充原則 5-2 ①（経営戦略等における事業ポートフォリオに関する基本的な方針や事業ポートフォリオの見直しの状況の開示）が挙げられる。

(注1) ガバナンス報告書記載要領Ⅰ1.(2)。
(注2) ガバナンス報告書記載要領Ⅰ1.(2)においては、これらの媒体が例示されているが、その他、株主総会参考書類等の記載事項も同様に取り扱う余地があろう。
(注3) 2022年4月4日以降の新しい市場区分においては、グロース市場の上場会社は、コードのうち基本原則部分についてのみコンプライ・オア・エクスプレインを行えば足りる。
(注4) ガバナンス報告書記載要領Ⅰ1.(2)。

Q16 「コンプライ・アンド・エクスプレイン」とは何か。

●解説

「コンプライ・アンド・エクスプレイン」とは、「開示」が求められている原則（前記Q15）以外の原則について、コンプライした上で、ガバナンス報告書において、積極的に自社の具体的な取組みを記載することである。

対話ガイドライン1頁脚注1は、「機関投資家と企業の建設的な対話を充実させていく観点からは、各原則を実施する場合も、併せて自らの具体的な取組みについて積極的に説明を行うことが有益であると考えられる」とする。

これを受けて、ガバナンス報告書記載要領Ⅰ1.(2)も、「コードの各原則に基づく開示」欄において、「特定の事項を開示すべきとする原則以外の各原則の実施状況を記載する場合にも、本欄を利用することが可能」とした上で、例として、「説明を行うべきとする原則の実施状況」や「投資家との建設的な対話を充実させていく観点から、各原則を実施する場合の自らの具体的な取組み」について記載する場合を挙げている。

Q17 「開示」ではなく「説明」とされている事項については何が求められているか。

●解説

　コードの各原則には、「開示」を求めるものと「説明」を求めるものが存する。たとえば、原則1-4第1文は「政策保有に関する方針を開示すべきである」とするのに対し、補充原則1-5①は「自社の株式が公開買付けに付された場合には、取締役会としての考え方……を明確に説明すべき」としている。

　これらの「開示」と「説明」という用語は、明確に区別して使用されている。すなわち、「開示」については、前記Q15のとおり、ガバナンス報告書の「コードの各原則に基づく開示」欄への記載が求められるのに対して、「説明」の方法については、特定の媒体は指定されていないため、必ずしもガバナンス報告書への記載が求められるものではなく、説明の手法や様式等は、各社における合理的な判断に委ねられる(注1)。会社としては、かかる説明の内容をガバナンス報告書に任意に記載するほか(注2)、アニュアルレポートまたは自社のウェブサイト等に記載することや、株主総会における口頭での説明を行うこと等が考えられる。ただし、資本効率等に関する目標の実現のための具体的な方策等、原則5-2に列挙する事項は、「経営戦略や経営計画の策定・公表に当たって」説明すべきものとされている。また、後記Q39のとおり、原則1-3の「資本政策の基本的な方針」については、原則3-1(i)で求められる経営戦略や経営計画とともにガバナンス報告書での「開示」が求められることになるため留意を要する(注3)。

　「説明」を求める原則および「説明」が求められる事項は、**図表17**のとおりである。

〔図表17〕説明を求める原則

原則	説明が求められる事項
原則1-3	・資本政策の基本的な方針
原則1-5	・買収防衛の効果をもたらすことを企図してとられる方策の必要性・合理性

補充原則 1-5 ①	・自社の株式が公開買付けに付された場合における取締役会としての考え方（対抗提案があればその内容を含む）
原則 1-6	・支配権の変動や大規模な希釈化をもたらす資本政策（増資、MBO 等を含む）の必要性・合理性
補充原則 4-1 ②	・中期経営計画が目標未達に終わった場合における、その原因や自社が行った対応の内容
原則 5-2	・収益力・資本効率等に関する目標の実現のために、経営資源の配分等に関し具体的に何を実行するのか

（注1）この旨を説明するものとして、油布ほか〔Ⅱ〕57頁注16参照。
（注2）ガバナンス報告書記載要領Ⅰ1.(2)は、説明を行うべきとする原則の実施状況についても、「コードの各原則に基づく開示」欄を使用することが可能であるとする。
（注3）2018年コード改訂パブコメ回答39番。

Q18 株主総会で何が求められるのか。

●解説

　株主のコードへの関心の高さから、株主総会において、株主から、会社のコードへの対応や検討状況について質問がなされることがある。

　コードへの対応や検討状況について、株主総会の場で株主から質問があったとしても、それが株主総会参考書類の記載事項等に関連するものでない限りは、基本的には取締役が会社法314条に基づく説明義務を負うとは解されない。他方で、現在の株主総会の実務では、株主からの質問に対して、可能な限り説明を行うのがすでに一般的な対応である。

　また、株主総会当日における質疑応答はもちろんのこと、株主総会前に株主に対して発出される招集通知の記載をコードの各原則を踏まえたものとし、株主の議決権行使のための情報開示を充実させる等の対応を行うことも一般的となっている(注)。

(注) 株主総会白書2020年版91頁の調査結果によれば、コードにおける開示すべき原則のうち、「社外でない取締役・監査役候補者の個々の選解任・指名理由に関する事項」(原則3-1(ⅴ)関連)、「社外役員の独立性判断基準に関する事項」(原則4-9関連)、「経営理念等・経営戦略・経営計画に関する事項」(原則3-1(ⅰ)関連)、「経営陣幹部・取締役の報酬決定の方針・手続に関する事項」(原則3-1(ⅲ)関連)の順で、招集通知に任意的に記載する会社が多い。

Q19 指名委員会等設置会社や監査等委員会設置会社についてはどのように読替えをすべきか。

● 解説

　コードは、上場会社がとり得る機関設計のうちいずれかを慫慂、つまり推奨するものではなく、いずれの機関設計を採用する会社にも当てはまる主要な原則を示すものである（コード原案序文14項）。もっとも、コードにおいては、上場会社の多くが監査役会設置会社であることを踏まえ、監査役会設置会社を想定した原則（監査役または監査役会について記述した原則）が置かれている。これらの原則については、指名委員会等設置会社や監査等委員会設置会社は、自らの機関設計に応じて所要の読替えを行った上で適用を行うことが想定されている（コード原案序文14項）。

　もっとも、具体的にいずれの原則が読替えの対象になるかは明示されておらず、どのような観点で読替えを行うかも含めて、プリンシプルベース・アプローチの下、各社の自主的な判断に委ねられているものといえる。

　読替えの観点としては、以下の3つが考えられる。

　すなわち、第1に、指名委員会等設置会社や監査等委員会設置会社においては監査役（会）は存在しないことから、監査役（会）を監査委員（会）・監査等委員（会）へ読み替えるという観点である。たとえば、原則4-11の「監査役」は、それぞれ「監査委員」および「監査等委員」に読み替えられるべきものとされている[注1]。

　第2に、指名委員会等設置会社においては、取締役の選解任・報酬については、指名委員会や報酬委員会が権限を有することから、これらの事項に関連する原則について、取締役会を指名委員会や報酬委員会に読み替えるという観点である。たとえば、原則3-1(iii)の「取締役会」は「報酬委員会」に、また、原則3-1(iv)および(v)の「取締役会」は「取締役会または指名委員会」に、それぞれ読み替えることが考えられる[注2]。また、補充原則4-2①の「取締役会」は「報酬委員会」に読み替えられるべきものとされている[注3]。

　第3に、指名委員会等設置会社や監査等委員会設置会社においては、業務執行の決定を大幅に取締役会から経営陣（執行役・業務執行取締役等）に委任することが可能であるため、取締役会の責務を定める原則について、取締

役会を経営陣に読み替えるという観点である。もっとも、特に第3の観点については、コードにおいて取締役会が実施主体とされている原則をどの程度まで経営陣と読み替えることが適切か、各社の個別事情に応じて慎重に検討する必要があると考えられる。会社法上委任が認められない事項に関する原則（たとえば、原則4-1のうち経営理念等の確立等）や、取締役会のあり方にかかわる原則（たとえば、経営陣への委任の範囲についての補充原則4-1①、取締役会の多様性・規模等に関する考え方についての補充原則4-11①、取締役会の実効性の分析等についての補充原則4-11③等）については、その性質上、経営陣への読替えは適切でないことが通常であろう。

（注1）2018年コード改訂パブコメ回答202番。
（注2）油布ほか〔Ⅲ〕42頁注28。
（注3）2018年コード改訂パブコメ回答84〜90番。

Q20　株主とは機関投資家のことか。

●解説

　コードにおいて、株主は機関投資家に限定されていない[注1]。

　有識者会議においても、株主との対話（基本原則5参照）に関連して、機関投資家以外の一般株主との間の平等に配慮する観点から、機関投資家とだけ対話するというコードの書き方は避けるべき旨の発言があったところであり[注2]、「株主」は「機関投資家」に限られないことが明確に意識されている。

　ただし、コードの原則には、主として機関投資家の関心が高い事項や、時間的・物理的限界からすべての株主との間で実施することが現実的でない内容を含むものもあり、それらのコンプライに際して、株主のうち特にどのような属性の者との間での適用を重視するかは、各原則の趣旨・精神を踏まえた各社の判断に委ねられていると考えられる。たとえば、補充原則5-1①は、株主との対話（面談）に応じるのは、（「合理的な範囲で」という限定つきとはいえ）経営陣幹部、社外取締役を含む取締役または監査役が基本であるとするが、あらゆる株主との面談を行うのは、到底現実的ではなく、持続的な成長と中長期的な企業価値の向上に向けた建設的な対話という趣旨にもそぐわない。そこで、「合理的な範囲で」の解釈として、保有株式数、保有期間（その見込み）、保有目的、面談要請の理由等の事情を考慮し、結果として一定の機関投資家のみと面談を実施することも、実務上は合理的な対応といい得ると思われる。

　他方、現在は株式を保有していない投資家であっても、広義の株主ととらえて、コードのうち関連する原則の対象と位置づけることも、各社の任意の判断による対応としては考えられよう。

(注1) コード原案序文8項は、「株主（機関投資家）と会社との間の建設的な『目的を持った対話』によって、〔各社のガバナンス上の課題への自律的対応の〕更なる充実を図ることが可能である」とし、「株主（機関投資家）」という表現を用いているが、これは、日本の上場会社株式に投資する機関投資家を対象としたスチュワードシップ・コードに言及する部分であるからと考えられる。

(注2) 有識者会議（第4回）議事録〔神田秀樹メンバー発言〕。

Q21 経営陣と経営陣幹部とはどう区別するのか。

●解説

　コードにおいては、「経営陣」（原則4-2、補充原則2-5①等）と「経営陣幹部」（原則3-1、原則4-2、原則4-3等）という用語が使い分けられている。語感からすれば、「経営陣幹部」は「経営陣」のうち一部を指すと考えられるが[注1]、それぞれの用語について、コード上定義が置かれているわけではなく、プリンシプルベース・アプローチの下で、各社が適切に解釈することが想定されている。

　かかる解釈は、コードの各原則の趣旨・精神に照らして行う必要があるから、「経営陣」や「経営陣幹部」という用語が用いられている各原則が目指す効果から遡り、そのような効果を及ぼすべきなのはどのような範囲の者かという観点から、「経営陣」や「経営陣幹部」の範囲を判断していくことが考えられる。

　たとえば、原則4-2は、経営陣の報酬に中長期的な会社の業績や潜在的リスクを反映させるべきとし、これを受けた補充原則4-2①は、経営陣の報酬を定めるに当たって中長期的な業績と連動する報酬の割合を適切に設定すべきと定めている。そこで、「経営陣」の範囲は、その報酬を中長期的な業績と連動させることが適切な者は誰かという観点から各社で検討すべきことになる。会社法上の業務執行取締役や（指名委員会等設置会社の）執行役に加え、いわゆる執行役員も経営の意思決定を実質的に担っており、その報酬を業績に連動させることが当社では適切ということであれば、そのような執行役員も「経営陣」に含まれると解釈することが考えられる。なお、基本原則4の(3)は「経営陣（執行役及びいわゆる執行役員を含む）」としており、場合によっては「経営陣」に「執行役及び執行役員」が含まれ得ることを示している。

　また、原則4-3は、取締役会が会社の業績等の評価を経営陣幹部の人事に適切に反映すべきとし、これを受けた補充原則4-3①は、経営陣幹部の選任や解任について、取締役会が会社の業績等の評価を踏まえて適切に実行することを求めている。そこで、「経営陣幹部」とは、取締役会が会社の業績等を踏まえてその選解任を判断することが適切な者は誰かという観点から検討すべきことになる。このような観点から、たとえば、会社全体の業績に

責任を負うべきCEOやCFOといった地位（またはこれに相当する役職）の者に限られるという考え方もあり得る。なお、補充原則3-2②(ⅱ)が、外部会計監査人からのアクセスを確保すべき者として「CEO・CFO等の経営陣幹部」を掲げていることも参考になろう。

　いずれにせよ、「経営陣」や「経営陣幹部」の範囲は、プリンシプルベース・アプローチの下、「誰を含めるのが適切か」という観点から、コードの各原則の趣旨・精神に照らして各社が自主的に判断することが求められており、各社の判断は基本的に尊重されると考えられる[注2]。

　なお、「経営陣幹部」よりもさらに狭い概念の用語として、「最高経営責任者（CEO）等」という用語もある（補充原則4-1③）。補充原則4-1③は、後継者計画（プランニング）に関するものであることからすると、後継者の人選が特に重要と考えられる企業の経営トップを指すものと考えるのが合理的であり、最高経営責任者（CEO）「等」とされていることからも、会社によっては最高執行責任者（COO）等を含み得る概念といえる[注3]。

(注1) コードの参考英訳においても、「経営陣」はmanagement、「経営陣幹部」はsenior managementとされている。
(注2) このように、「経営陣」や「経営陣幹部」の範囲は、コードの原則ごとに、当該原則の趣旨・精神に照らして判断することが求められているため、結果として、1つの上場会社において、原則ごとに「経営陣」や「経営陣幹部」の範囲が異なるということも、論理的にはあり得るように思われる。
(注3) 油布ほか〔Ⅲ〕40頁。

Q22 コード対応に関して監査役は何をすべきか。

●解説

　コードへの対応は、上場会社のコーポレートガバナンスのあり方にかかわるものである以上、監査役には、その対応について取締役会や業務執行者との間で十分な協議を行い、場合によっては異議を述べる等、主体的に関与することが求められる。

　具体的には、まず、基本原則4の最終文中の括弧書に「その役割・責務の一部は監査役及び監査役会が担うことになる」とあるように、取締役会の責務として整理されたものについても、その一部については監査役が分担することが求められている。また、①監査役（会）に決定権がある事項に関する原則（補充原則3-2①や原則4-4等）については、監査役（会）が主体的に判断を行うことが求められ、②監査役（会）に同意権がある事項に関する原則（原則3-1(iv)や(v)等）については、原案を作成した取締役会や業務執行者との間で十分に協議を行うことが求められる。加えて、③上記①および②以外の原則についても、取締役会の出席者としての立場を踏まえ、取締役会に付議される事項に関して十分な事前説明を求め、必要に応じて取締役会での発言等を行うことが期待されているといえよう[注1]。

　なお、日本監査役協会より公表されている監査役監査基準では、「コーポレートガバナンス・コードを踏まえた対応」と題する章（第4章）が存在し[注2]、そこでは、コードの原則4-4において監査役の「守りの機能」だけではない能動的・積極的な行動が求められていることを踏まえ、監査役に対しコードの趣旨を十分に理解した上で自らの職務の遂行に当たることを求めている。

(注1) 2016年2月18日に公表されたフォローアップ会議の意見書(2)では、監査役の役割として、社外取締役への情報提供や、内部通報の窓口といった点が挙げられている（6頁、7頁）。
(注2) 詳細については、後記Q100参照。

Q23 コードの実施は上場会社だけでなくグループ全体で考える必要があるか。

●解説

　コードは上場会社に適用されるものであることから、基本的には、上場会社自身について対応を検討すれば足りるものが多いと考えられる。もっとも、コードの各原則の中には、グループ全体として対応することが求められるものも存する。

　たとえば、補充原則4-3④は、2021年改訂コードにおいて、内部統制や先を見越した全社的リスク管理体制の整備について、取締役会がグループ全体を含めた適切な体制を構築し、その運用状況を監督することを明示的に求めている。また、グループ・ガバナンスに関しては、上場子会社において少数株主を保護するためのガバナンス体制の整備が重要であるとの問題意識から、2021年改訂コードで新設された補充原則4-8③は、支配株主を有する上場会社は、取締役会において支配株主からの独立性を有する独立社外取締役を少なくとも3分の1以上（プライム市場上場会社においては過半数）選任するか、または支配株主と少数株主との利益が相反する重要な取引・行為について審議・検討を行う、独立社外取締役を含む独立性を有する者で構成された特別委員会を設置すべきであることを定めている。

　他にも、たとえば、以下の原則については、子会社も含めた対応を検討する余地があると思われる。

(1) 原則1-4（政策保有株式）

　原則1-4は、上場会社が政策保有株式として上場株式を保有する場合には、政策保有に関する方針や、個別の政策保有株式について取締役会における保有の適否に係る検証の内容の開示等の対応を求める。この点、有識者会議においては、上場している銀行持株会社については、単体のみならず、非上場の子銀行の方で保有されている政策保有株式も含めた対応が求められる旨の議論がなされている[注1]。

(2) 原則1-7（関連当事者間の取引）

　原則1-7は、上場会社の取締役会に対し、役員や主要株主等との取引

(関連当事者間の取引)を行う場合における適切な手続の策定およびその枠組みの開示を求める。この点、上場会社が直接取引当事者になるのではなく、子会社が当事者となって当該上場会社の役員や主要株主等と取引をする場合にも、当該子会社が損失を被ることにより間接的に当該上場会社やその共同株主の利益を害するおそれが生じ得る。そのため、子会社がそのような取引をしている場合には、子会社を当事者とする取引をも含めた手続の策定およびその枠組みの開示を行うことが、本原則の趣旨に沿うと考えられる場合もあり得る。実際に、当該上場会社を当事者とする取引のみならず、子会社が当事者となる取引も対象とした手続を策定し、その枠組みを開示する例もある。

(3) **原則2-2(会社の行動準則の策定・実践)**

原則2-2は、上場会社に対し、その構成員が従うべき行動準則を定め、実践すること、および行動準則が国内外の事業活動の第一線にまで広く浸透し、遵守されるようにすることを求める。「国内外の事業活動の第一線にまで広く浸透し」と記載されていることも踏まえれば、本原則については、上場している親会社のみならず、グループ全体に適用される行動準則を定め、これがグループ全体に浸透し、遵守されるようにすることが本原則の趣旨に沿うと考えられる場合もあり得る[注2]。

(4) **原則2-5(内部通報に係る体制の整備・監督)**

原則2-5は、上場会社に内部通報に係る適切な体制整備を行うよう求め、取締役会にその運用状況の監督を行うよう求める。この点、上場会社のみならず、子会社において違法または不適切な行為等についての疑念があった場合にも、これを親会社である上場会社において把握・検証する方がより適切な対処が可能となるケースもあり得る。こうした観点から、本原則への対応としては、子会社役職員からの内部通報をも包含したグループ内部通報に係る体制整備を行うことも考えられる[注3]。

(5) **原則2-6(企業年金のアセットオーナーとしての機能発揮)**

原則2-6は、企業年金の積立金の運用に関する人事面や運用面における取組みを行い、その内容の開示を求めるとともに、企業年金の受益者と会社との間に生じ得る利益相反の適切な管理を求める。この点、企業年金は、グ

ループ全体で共通の制度を利用している場合が多く、そのような場合には、本原則への対応は、グループ全体として検討する必要がある。

⑹ 原則4-3（内部統制やリスク管理体制の整備）

　原則4-3は、取締役会に対し、内部統制やリスク管理体制を適切に整備することを求める。この点、グループ企業については、子会社で顕在化したリスクが原因となって親会社に重大な損失が発生することもあり得る。そのため、グループ全体に適用されるリスク管理規程の策定や子会社のリスク管理担当部署の設置等を行うことにより、グループ全体を対象としたリスク管理体制の整備を図ることが、本原則の趣旨に沿う[注4]。

⑺ 原則5-2（経営戦略や経営計画の策定・公表）

　原則5-2は、経営戦略や経営計画の策定・公表に当たって、資本コストを把握した上で、収益計画や資本政策の基本的な方針を示すとともに、収益力・資本効率等に関する目標の提示と、その実現のための経営資源の配分等に関する具体的な施策についての説明を行うことを求める。この場合の「収益計画や資本政策の基本的な方針」や「収益力・資本効率等に関する目標」および経営資源の配分等に関する具体的な施策については、上場会社単体としてのものではなく、上場会社を頂点とするグループ全体のものを提示・説明することが本原則の趣旨に照らし適切である場合が多いと考えられる。この場合には、連結ベースでの経営戦略や経営計画の策定を検討することが本原則の趣旨に沿うものと考えられる[注5]。

（注1）有識者会議（第8回）議事録〔油布志行金融庁総務企画局企業開示課長発言、池尾和人座長発言〕。
（注2）会社法上、大会社等においては、子会社の取締役等および使用人の職務の執行が法令および定款に適合することを確保するための体制の整備が求められているが（会社法施行規則100条1項5号ニ等）、グループ全体に適用される行動規範等の策定は、かかる体制の整備に含まれ得る（太子堂厚子＝河島勇太「グループ・ガバナンスに関する規律等の見直し」商事法務2057号（2015）31頁）。
（注3）会社法上、大会社等においては、子会社の取締役・監査役等および使用人またはこれらの者から報告を受けた者が親会社の監査役に報告をするための体制の整備、ならびに監査役へ報告した者が当該報告をしたことを理由として不利な取扱いを受けないことを確保するための体制の整備が求められている（会社法施行規則100条3項4号ロ・5号等）。
（注4）会社法上、大会社等においては、子会社の損失の危険の管理に関する規程その他

の体制の整備が求められている（会社法施行規則 100 条 1 項 5 号ロ等）。
（注 5）会社法上、大会社等においては、子会社の取締役等の職務の執行が効率的に行われることを確保するための体制の整備が求められているが（会社法施行規則 100 条 1 項 5 号ハ等）、連結ベースでの経営計画等の策定は、かかる体制の整備に含まれ得る（太子堂＝河島・前掲（注 2）31 頁）。

Q24 スチュワードシップ・コードとの関係や共通点・相違点は何か。

●解説

　コードとスチュワードシップ・コードは、会社の持続的な成長と中長期的な企業価値の向上を目的とする点において共通しており[注1]、両者はいわば「車の両輪」として相互に機能し、結果として会社の持続的な成長と中長期的な企業価値の向上に資することが想定されている（コード原案序文8項）。また、プリンシプルベース・アプローチやコンプライ・オア・エクスプレインの手法を採用している点においても、両者は共通している（コード原案序文9項以下およびスチュワードシップ・コード序文11項以下）。対話ガイドライン前文によれば、対話ガイドラインも、両コードの附属文書として位置づけられている。

　もっとも、両コードには、相違点も多い。たとえば、スチュワードシップ・コードが機関投資家を名宛人とするものであり、違反した場合（コンプライもエクスプレインも行わない場合）の制裁は制度上特に定められていないのに対して、コードは、上場会社を名宛人としている。そのため、コードについては、上場規則において尊重義務が課せられ、また、各原則を実施しない場合の理由の説明義務に違反した場合（コンプライもエクスプレインも行わない場合）には、実効性確保のための公表措置等、上場規則に基づく制裁の対象となる余地がある（前記Q9参照）。また、スチュワードシップ・コードは受け入れるか否かが機関投資家に委ねられているのに対して、コードはすべての上場会社に適用されるという差異がある[注2]。

(注1) コードのサブタイトルは「〜会社の持続的な成長と中長期的な企業価値の向上のために〜」とされている。また、スチュワードシップ・コードのサブタイトルは「〜投資と対話を通じて企業の持続的成長を促すために〜」とされている。
(注2) ただし、マザーズ、JASDAQ等に上場する会社や外国会社に対する適用方法については一定の考慮がされている（有価証券上場規程436条の3）。

第 2 章

基本原則 1
「株主の権利・平等性の確保」

Q25 取締役会における原因分析が必要な「相当数の反対票が投じられた」とはどのような場合か。

●解説　　　　　　　　　　　　　　　　　　　　　　　　補充原則 1-1 ①

　補充原則 1-1 ①は、株主総会において相当数の反対票が投じられた会社提案議案について、反対の理由や反対票が多くなった原因の分析を行い、株主との対話その他の対応の要否について検討を行うべきとする。

　どのような場合に「相当数の反対票が投じられた」場合に該当するかは、各社の自主的な解釈に委ねられる。どの程度を超えれば「相当数」といえるかは、その時々における各社の個別事情（株主構成、株主総会出席率、過去の議案における反対率、議案の内容・性質等）に応じて判断すべき事項である。投資家側の中には10％程度を基準とすべき旨の意見も聞かれる。2018年に改訂された英国のコード各則4項は、「株主総会の決議に係る取締役会の推奨に対して、20％以上の反対票が投じられた場合には、会社は、投票結果の公表時に、投票結果の背後に存在する理由を把握し、株主に相談するため、どのような対応をとるつもりなのかを説明しなければならない。」として、20％を基準としており、この点も参考になろう。

　なお、相当数の反対票が投じられた場合に求められるのは、(i)反対の理由や反対票が多くなった原因の分析と、(ii)株主との対話その他の対応の要否についての検討である。(i)の分析は必要となるが、(ii)については、検討を行うことが求められているにすぎず、検討の結果、対応を要しないと取締役会が合理的に考える場合にまで対応を求めるものではない。また、対応の内容についても、株主との対話に限定されておらず、常に株主との対話が求められるわけではない[注1][注2]。

　株主と対話を行う場合には、2021年改訂対話ガイドライン4-1-1が、「株主と対話をする際には、反対の理由や反対票が多くなった原因の分析結果、対応の検討結果が、可能な範囲で分かりやすく説明されているか」としていることが参考になる。

(注1) 油布ほか〔Ⅰ〕52頁。
(注2) 一般社団法人生命保険協会「生命保険会社の資産運用を通じた『株式市場の活性化』と『持続可能な社会の実現』に向けた取組について」は、過年度に反対の多かった議案

に対して、投資家がどのような取組みを期待するか、企業がどのような取組みを実施しているかという項目について、招集通知の説明充実、投資家との対話、議案の修正・取り下げ、反対株主の分析、反対理由の分析を例として挙げており、参考になる。

Q26 「反対の理由や反対票が多くなった原因の分析」とは具体的に何をすればよいか。

●解説　　　　　　　　　　　　　　　　　　　　　　　　補充原則 1-1 ①

　補充原則 1-1 ①は、取締役会は、株主総会において可決には至ったものの相当数の反対票が投じられた会社提案議案があったと認めるときは、反対の理由や反対票が多くなった原因の分析を行うべきとする。本補充原則は、有識者会議における議論を踏まえて、英国のコードを参考に設けられたものであり[注1]、上場企業に、投票結果の背後に存在する理由を把握した上で株主に対する説明責任を果たすことを期待するものである[注2]。

　反対の理由や反対票が多くなった原因の具体的な分析方法については特に決まりはなく、プリンシプルベース・アプローチの下、各社において合理的な方法で検討すれば足り、必ずしも外部のアドバイザー等へ依頼する必要はないと考えられる。各議案に対する議決権行使助言会社の助言の内容やその理由を入手・分析することに加え、近時は機関投資家による反対理由の開示も進んでいる。また、反対の議決権行使を行った機関投資家との対話は、有効な方法の 1 つといえよう。

(注 1) 油布ほか〔Ⅰ〕52 頁。
(注 2) 有識者会議（第 3 回）議事録〔小口俊朗メンバー発言〕。

Q27 株主総会決議事項の一部を取締役会に委任するとはどのような場合か。

●解説　　　　　　　　　　　　　　　　　　　　　　　　　補充原則1-1②

　補充原則1-1②では、株主総会決議事項の一部を取締役会に委任するよう株主総会に提案する場合には、取締役会においてコーポレートガバナンスに関する役割・責務を十分に果たし得る体制が整備されているか否かを考慮すべきとする。

　ここでいう取締役会への「委任」とは、会社法上「委任」と整理されているもの（たとえば会社法200条）に限らず、「株主総会決議事項とされている事項を取締役会が決定することができる旨を株主総会で決定すること」全般を指すものと考えられる。会社法上、法定の株主総会決議事項のうち、このような意味での取締役会への委任が可能な事項は、

(i) 取締役会が定めることができる旨の定款の定めを設けることにより委任することができる事項

(ii) 会社法上の明文をもって株主総会決議により取締役会に委任することが認められている事項

(iii) 解釈により株主総会決議により取締役会に委任することができると考えられている事項

に区分することができる。

　本補充原則は、取締役会への委任を株主総会に「提案」する場合に関する原則であり、そのような提案を行わない場合には、特段の対応は不要である。また、すでに定款の定めを置いたり、株主総会の決議を行って取締役会への委任を行っている上場会社において、改めて特段の対応を行うことが必要となるものでもないと考えられる。

　なお、本補充原則の後段は、取締役会への委任を提案することが望ましい場合がある旨を示しているが、この点を考慮に入れることを求めているにすぎず、そのような委任の当否について一定の方向性を示すものではない[注]。

(注) 油布ほか〔Ⅰ〕53頁。

> **Q28** 株主の権利行使への配慮とは具体的に何をすればよいか。

● 解説   補充原則 1-1 ③

　補充原則 1-1 ③は、株主の権利行使を事実上妨げることのないよう配慮すべきとする。かかる文言に加え、その確保に課題や疑念が生じやすい権利の例示として少数株主権（違法行為差止請求権や代表訴訟提起に関する権利）が挙げられていることから、会社法で認められている少数株主の権利を超えて、株主の権利を拡張することまでを会社に求めるものではないと考えられる(注1)。

　本補充原則の具体的な適用場面としては、委任状勧誘等の場面において、株主が株主名簿の閲覧等を求めた際に、会社が不当に対応を遅延し、結果的に株主総会の開催日が到来してしまったケース等が想定されている一方、必ずしもこうした特定の場面だけを規律する意図で設けられたものではないとされている(注2)。

（注1）有識者会議（第6回）議事録〔武井一浩メンバー発言〕。
（注2）油布ほか〔Ⅰ〕53頁。

Q29 株主総会における権利行使に係る環境整備とは具体的に何をすればよいか。

基本原則1

●解説　　　　　　　　　　　　　　　　　　　　　　　　原則1-2

　原則1-2は、株主の視点に立って、株主総会における権利行使に係る適切な環境整備を行うべきとする。同原則においては、かかる環境整備に際しては、「株主総会が株主との建設的な対話の場であることを認識」することも求められているところ、これは、上場会社の株主にとって、株主総会は議決権行使等を通じて上場会社に対して直接意見を発信することのできる数少ない機会であることを踏まえたものであると考えられている[注]。

　このような上場会社の株主にとっての株主総会の重要性を踏まえ、「株主総会における権利行使に係る適切な環境整備」の具体的な内容として、株主総会において株主が適切な判断を行うことに資する情報の提供（補充原則1-2①）、招集通知の早期発送や電子的な公表（同②）、また議決権の電子行使を可能とするための環境作り（議決権電子行使プラットフォームの利用等）や招集通知の英訳を進めること（同④）等が求められている。

　したがって、本原則については、株主総会に関する会社法の規律に従うほか、上記のようなコードの各原則で求められる対応を行うこと等をもって、コンプライと整理することも考えられる。

（注）油布ほか〔Ⅰ〕53頁。

Q30 バーチャル株主総会の実施を検討する必要があるか。

●解説　　　　　　　　　　　　　　　　　　　　　　　　　　　　原則 1-2

　バーチャル株主総会とは、一般に、物理的な株主総会会場自体は設ける「ハイブリッド型」バーチャル株主総会と、物理的な株主総会会場自体を設けないバーチャル「オンリー型」株主総会を併せていう。ハイブリッド型バーチャル株主総会も、物理的な株主総会会場には所在しない株主が、会社法上の「出席」をすることができるハイブリッド「出席型」バーチャル株主総会と、会社法上の「出席」は伴わないハイブリッド「参加型」バーチャル株主総会に分かれる(注1)。

　バーチャルオンリー型株主総会については、2021 年 6 月に産業競争力強化法が改正され、一定の要件の下で可能となったため、今後実施例がみられると考えられる。一方、ハイブリッド型バーチャル株主総会については、新型コロナウイルス感染症拡大防止策の一環としても関心を集め、既に実施している例がみられる(注2)。

　原則 1-2 は、株主の視点に立って、株主総会における権利行使に係る適切な環境整備を行うべきとするもので、特にバーチャル株主総会の実施の検討を具体的に求めるものではない。ただ、バーチャル株主総会は、遠方に居住している等の理由から物理的な株主総会会場に出向くことが難しい株主にも株主総会の参加の機会を与えるという点で、実施するかどうか検討することも有益であると思われる。

　また、バーチャル株主総会を実施する場合には、2021 年改訂対話ガイドライン 4-1-4 が、「株主の出席・参加機会の確保等の観点からバーチャル方式により株主総会を開催する場合には、株主の利益の確保に配慮し、その運営に当たり透明性・公正性が確保されるよう、適切な対応を行っているか。」と注意喚起していることにも留意する必要がある。

（注 1）経済産業省「ハイブリッド型バーチャル株主総会の実施ガイド」（2020 年 2 月 26 日）2～3 頁参照。
（注 2）経済産業省「ハイブリッド型バーチャル株主総会の実施ガイド（別冊）実施事例集」（2021 年 2 月 3 日）7 頁によれば、2020 年 6 月に開催された株主総会では、上場会社のうち、ハイブリッド「出席型」は 9 社、ハイブリッド「参加型」は 113 社において実施されている。

Q31 株主に提供すべき情報とその方法には、何があるか。

●解説　　　　　　　　　　　　　　　　　　　　　　　補充原則 1-2 ①

　補充原則 1-2 ①は、上場会社は、株主総会において株主が適切な判断を行うことに資すると考えられる情報については、必要に応じ適確に提供すべきであるとする。

　本補充原則への対応という観点からは、上場会社の合理的な判断において、株主総会における株主の適切な判断に資すると考える情報があれば、必要に応じてこれを公表し、またはその他何らかの方法で提供すれば足りると考えられる(注1)。

　もっとも、株主総会に際してはすでに会社法および会社法施行規則に基づいて、株主総会参考書類や事業報告等による情報提供が義務づけられている（会社法 301 条、437 条）。これに加えて、具体的に、どのような内容の情報をどのような方法で提供するかは悩ましいが、本補充原則の趣旨に最も合致し、かつ、上場会社として実施が容易な方法は、株主総会参考書類および事業報告の記載内容の充実を図ることであると思われる(注2)。

　この点、社外役員でない個々の役員候補者の指名の理由や社外役員の独立性判断基準を株主総会参考書類に記載する等、株主総会参考書類や事業報告に、コードで開示が求められる事項の多くを取り込んで、株主・投資家の関心事項という観点を大幅に取り入れた例も珍しくない(注3)。また、2021 年改訂コードの補充原則 4-11 ①は、各取締役の知識・経験・能力等を一覧化したいわゆるスキル・マトリックス等の開示を求めるところ、改訂前から、株主総会参考書類に役員候補者のスキル・マトリックスを掲載する例もみられる(注4)。

　上記とはやや異なる視点として、2021 年改訂対話ガイドライン 4-1-3 前段が、「株主総会が株主との建設的な対話の場であることを意識し、例えば、有価証券報告書を株主総会開催日の前に提出するなど、株主との建設的な対話の充実に向けた取組みの検討を行っているか。」としていることも注目に値する。

(注1) 油布ほか〔Ⅰ〕53 頁。

(注2) その他、有識者会議においては、有価証券報告書の早期提出についても検討された(有識者会議(第3回)議事録〔森公高メンバー、小口俊朗メンバー発言〕)。
(注3) 株主総会白書 2020 年版 90 ～ 91 頁。
(注4) 株主総会白書 2020 年版 89 頁。

Q32 招集通知の発送や電子的公表はいつまでに行えばコンプライといえるか。

●解説　　　　　　　　　　　　　　　　　　　　　　　　　　補充原則1-2②

　補充原則1-2②の前半は、株主が総会議案の十分な検討期間を確保することができるよう、招集通知の早期発送に努めるべきとする。会社法上、上場会社の株主総会の招集通知は、株主総会日の2週間前までに株主に対して発送しなければならないとされているところ（会社法299条1項）[注1]、本補充原則は、上場会社に対し、当該法定期限よりも早期の発送を求めるものである。

　ガバナンス報告書記載要領においては、「株主総会の活性化及び議決権行使の円滑化に向けての取組み状況」の項目として、直近の定時株主総会についての招集通知を法定期限よりも3営業日以上前に発送した場合を「早期発送」と位置づけているが[注2]、近時は更に早期に開示する傾向が強まっている。「コーポレート・ガバナンス白書2021」によれば、株主総会の招集通知の早期発送を行っている会社は、東証上場会社3,677社のうち2,613社（71.1％）であり、多くの会社が既に招集通知の早期発送を行っている。

　また、本補充原則後半は、招集通知に記載する情報を株主総会の招集に係る取締役会決議から招集通知を発送するまでの間に、TDnetや自社のウェブサイトにより電子的に公表すべきとする。2021年改訂対話ガイドライン4-1-2も、「株主総会の招集通知に記載する情報を、内容の確定後速やかにTDnet及び自社のウェブサイト等で公表するなど、株主が総会議案の十分な検討期間を確保することができるような情報開示に努めているか。」を取り上げている。

　本補充原則による要請を踏まえ、招集通知の発送前開示は、実務に広く定着した印象を受ける[注3]。

（注1）令和元年改正会社法で導入された、電子提供制度（改正法の公布の日から3年6月を超えない範囲内において政令で定める日に施行）を利用する場合には、株主総会の日の3週間前の日までに、株主総会資料をウェブサイトにアップロードすることとなり（令和元年改正会社法325条の3第1項）、原則として、株主総会資料を発送することを要しない（令和元年改正会社法325条の4第3項）。振替株式発行会社は、電子提供措置をとる旨を定款において定めることが義務づけられ（令和元年改正後の社債、株式

等の振替に関する法律 159 条の 2 第 1 項)、また、改正法施行日を効力発生日として、電子提供措置をとる旨の定款の定めを設ける定款変更の決議をしたものとみなされる(会社法の一部を改正する法律の施行に伴う関係法律の整備等に関する法律 10 条 2 項)。
(注 2) ガバナンス報告書記載要領Ⅲ 1.。もっとも、当該記載要領においては、3 営業日以上前の発送が、本補充原則における「早期発送」の定義を示すものではないとされていることから、あくまでも「目安」ということになる。
(注 3) 株主総会白書 2020 年版 87 頁。2020 年 9 月までに開催された株主総会について、招集通知発送前にウェブサイトに招集通知を掲載した会社は、回答社数 1595 社中 1416 社(88.8%)であり、すでに 9 割弱の会社が発送前開示を行っている。

Q33 株主総会関連の日程の適切な設定とは何か。

●解説　　　　　　　　　　　　　　　　　　　　　　　　　　補充原則1-2③

　補充原則1-2③は、株主との建設的な対話の充実や、そのための正確な情報提供等の観点を考慮し、株主総会開催日をはじめとする株主総会関連の日程の適切な設定を行うべきとする。

　株主総会関連の日程としては、株主総会開催日のほかにも、基準日や招集通知発送日等さまざまなものがあり、株主総会開催日は、その一部をなすものと位置づけられる。本補充原則は、これら一連の株主総会関連の日程の適切な設定を行うことを求めており、具体的に株主総会集中日に株主総会を開催することを禁じるものではない[注1]。

　したがって、株主総会集中日に株主総会を開催したからといって、直ちに本補充原則をコンプライしないことになるわけではない。むしろ、本補充原則の趣旨は、株主総会の議案に係る株主の検討期間や外部会計監査人による監査時間の確保等の要素を考慮に入れ、株主総会関連の日程を全体として適切に設定することにあると考えられる[注2]。

　仮に株主総会を株主総会集中日に開催した場合であっても、招集通知の早期発送・電子的公表（補充原則1-2②）や招集通知の英訳・議決権の電子行使（補充原則1-2④）といった他の原則で求められる事項に関する対応状況も踏まえつつ、株主総会関連の日程を全体として適切に設定することにより、本補充原則にコンプライすることは可能と考えられる。また、その検討の際には、2021年改訂対話ガイドライン4-1-3後段が「不測の事態が生じても株主へ正確に情報提供しつつ、決算・監査のための時間的余裕を確保できるよう、株主総会関連の日程の適切な設定を含め、株主総会の在り方について検討を行っているか。」を取り上げている点も参考になる。

　なお、コード原案の補充原則1-2③の〔背景説明〕においては、必要があれば株主総会開催日を7月（3月期決算の会社の場合）にすることも考えられるとされている。これは、株主との建設的な対話の充実や、株主による熟慮期間の確保およびそのための正確な情報提供等の観点から、3月期決算の会社について、決算期末後の会計監査および株主総会招集通知作成に必要な期間を確保しつつ、招集通知発送から株主総会開催日までの期間を確保する（招集通知の早期発送を可能とする）という意図によるものである[注3]。

他方で、コード原案の補充原則 1-2 ③の〔背景説明〕は、業績評価に基づく株主総会の意思決定との観点から、決算期末から株主総会開催日までの期間が長くなりすぎることは避ける必要があるとしている。また、株主総会開催日を 7 月とするためには、最低限、株主総会における議決権行使の基準日を変更するための定款変更が必要となり、また、基準日を変更しても株主総会にかかわる諸事務作業が滞りなく進むかも問題となる。こうした状況の下、株主総会開催日を 7 月（決算期から 3 カ月超）とすることについては、今後も、議論の進捗状況を引き続き注視していく必要があろう。

（注 1）コード上、いわゆる「集中日」開催に関する言及は特になされていない。
（注 2）油布ほか〔Ⅰ〕54 頁。検討期間や監査時間の確保という考慮要素については、コード原案の補充原則 1-2 ③の〔背景説明〕においても言及されている。
（注 3）有識者会議（第 3 回）議事録〔森公高メンバー、小口俊朗メンバー発言〕、有識者会議（第 5 回）資料・森公高メンバー「『コーポレートガバナンス・コードの策定に関する有識者会議』第 4 回会議までの議題に関する意見について」（2014 年 10 月 31 日）2 頁。

Q34 議決権電子行使プラットフォームを利用しないとコンプライしていないことになるのか。

●解説　　　　　　　　　　　　　　　　　　　　　　　　補充原則 1-2 ④

　補充原則 1-2 ④前段は、機関投資家や海外投資家の比率等も踏まえ、議決権の電子行使を可能とするための環境作り（議決権電子行使プラットフォームの利用等）を進めるべきとしており、その例として、ICJ により運営されている議決権電子行使プラットフォームの利用を挙げている[注1]。もっとも、これはあくまで例示であり、会社法上の電磁的方法による議決権行使の制度（会社法 298 条 1 項 4 号、312 条参照）の利用等、議決権電子行使プラットフォームの利用以外の対応によることも可能であると考えられる[注2]。

　一方、補充原則 1-2 ④後段は、「プライム市場上場会社は、少なくとも機関投資家向けに議決権電子行使プラットフォームを利用可能とすべき」[注3]としており、プライム市場上場会社の場合は、議決権電子行使プラットフォームを利用していない場合にはコンプライしていないことになる。

(注1)　なお、2021 年 8 月 6 日現在、ICJ を利用している上場会社は 1241 社である（ICJ「『議決権電子行使プラットフォーム』参加上場会社一覧」）。
(注2)　金融庁パブコメ回答 4 番参照。また、油布ほか〔Ⅰ〕54 頁参照。
(注3)　島崎ほか 15 頁によれば、個人投資家向けのプラットフォームを排除する趣旨ではないことを明確化する観点から、「少なくとも」という語句が入れられている。

Q35 招集通知の英訳をしないとコンプライしていないことになるのか。

●解説　　　　　　　　　　　　　　　　　　　　　　　補充原則1-2④

　補充原則1-2④前段は、機関投資家や海外投資家の比率等も踏まえ、招集通知の英訳を進めるべきとする。

　本補充原則は、株主総会における権利行使に係る適切な環境整備を求める原則1-2を受けたものであり、その趣旨からすれば、本補充原則にいう「招集通知」とは、いわゆる狭義の招集通知（会社法299条）に限られるものではなく、それとともに提供・交付が求められている株主総会参考書類、事業報告、計算書類、監査報告を含めた広義の招集通知を意味するものと考えられる。もっとも、本補充原則は、機関投資家や海外投資家の比率のほか、英訳に割ける合理的なリソース等をも考慮した合理的な対応を期待するものであり、広義の招集通知の一部のみを英訳することをもって本補充原則をコンプライする余地もある(注1)。また、外国人株主比率が低いこと等を理由に現時点で招集通知の英訳を実施しない上場会社も存するところ、プリンシプルベース・アプローチの下、そのような上場会社において、外国人株主比率等の推移を踏まえて招集通知の英訳について検討を継続するという選択をすることは、招集通知の英訳を「進めるべき」とする本補充原則の趣旨に合致するものと考えることも不合理ではない(注2)。

　一方、プライム市場上場会社においては、2021年改訂コードの補充原則3-1②後段において、「特に、プライム市場上場会社は、開示書類のうち必要とされる情報について、英語での開示・提供を行うべきである。」とされており、プライム市場上場企業に対しては海外からの投資も十分に想定されること、実務的にも、招集通知の英訳を作成することが珍しくなくなってきていることを踏まえると(注3)、招集通知の英訳を実施せずに本補充原則をコンプライと整理するのは困難と思われる。

（注1）油布ほか〔Ⅰ〕54頁。
（注2）油布志行＝浜田宰「『コーポレートガバナンス・コード原案』の概要及び同原案における開示関係の規律」週刊経営財務 No.3212（2015年5月18日号）28頁では、補充原則1-2④について、「招集通知の英訳を『すべきである』でなく『進めるべきである』としており、ただちに招集通知の英訳の実現には至らなかったとしても、このことにより一律に同補充原則を『コンプライ』していないことになるものではない」とし

ている。

(注3) 株主総会白書2020年版136頁。2020年9月までに開催された株主総会について、ホームページや取引所ウェブサイト等に英文招集通知を掲載した会社は、回答社数1595社中756社（47.4%）であり、すでに約半数の会社が英文招集通知をホームページ等に掲載している。

Q36 実質株主が株主総会に出席を希望する場合に備えて何が必要か。

●解説　　　　　　　　　　　　　　　　　　　　　　　　　補充原則1-2⑤

　補充原則1-2⑤は、信託銀行等の名義で株式を保有する機関投資家等（実質株主と呼ばれることもある）が、株主総会において、信託銀行等に代わって自ら議決権の行使等を行うことをあらかじめ希望する場合に対応するため、信託銀行等と協議しつつ検討を行うべきであるとする。

　本補充原則が求めるのは、あらかじめ機関投資家等から希望があった場合に備えて対応を検討することであり、この検討を行うこと自体がコンプライとなる(注1)。特にコードが策定された直後は、検討中と整理する会社も多かった。もちろん、株主名簿上の株主でない機関投資家等の株主総会への出席を必ず認めなければならないものではない。

　本補充原則については、株式実務家団体である全国株懇連合会が「グローバルな機関投資家等の株主総会への出席に関するガイドライン」（2015年11月13日）を策定・公表しており、これを参考にすることが考えられる。前記ガイドラインでは、「グローバル機関投資家等」が株主総会に参加するルートとして、以下の4つが挙げられているが、現時点では、Bの方法による会社が多数である(注2)。

　A　一単元以上の株主となり、名義株式に係る代理権の授与を受けて総会に出席する方法
　B　会社側の裁量に服した上で、総会を傍聴する方法
　C　特段の事情を会社に証明して、名義株主に係る代理権の授与を受けて総会に出席する方法
　D　定款を変更する方法

　なお、全国株懇連合会が「定款・株式取扱規程の変更案について〜『グローバルな機関投資家等の株主総会への出席に関するガイドライン』において、ルートDを採用する場合〜」（2016年4月8日）を公表し、定款・株式取扱規程の変更案を提示したことを受けて、実際に定款・株式取扱規程を変更する例もある(注3)。

　ただし、コード策定後も、実質株主が株主総会に出席を希望する場合は極めて限定的であり、また、傍聴を超えて議決権行使まで希望する場合は、例外的といえる状況である。

(注 1) 金融庁パブコメ回答 5 番、油布ほか〔Ⅰ〕54 頁。
(注 2) 株主総会白書 2020 年版 114 頁。
(注 3) J. フロント リテイリング株式会社の定款(2017 年 5 月 25 日改訂)第 18 条(http://www.j-front-retailing.com/ir/stock/pdf/170525_jfr_article.pdf) および株式取扱規程（2017 年 5 月 25 日改訂）第 26 ～ 第 30 条 (http://www.j-front-retailing.com/ir/stock/pdf/170525_jfr_regulation.pdf)。

Q37 資本政策とは何か。

●解説　　　　　　　　　　　　　　　　　　　　　　　　原則 1-3

　原則 1-3 は、資本政策の基本的な方針について説明を行うべきとする。

　「資本政策」という用語は、多義的に用いられ得る用語であるが、「コードにおいては、おおむね、上場会社が事業を遂行していく上で必要とされる資本・負債の調達、株主還元、資本・負債の比率、それらの手段など、資本の管理のための施策を意味するもの」と整理されている[注]。

　この考え方によると、自己資本比率の水準等の資本構成（デットとエクイティの比率）に関する考え方は、本原則にいう資本政策の内容となり得ると考えられる。また、株主還元に関する考え方（配当性向や自己株式取得の方針等）も、株主資本の規模に影響を及ぼし得るものとして、資本政策の内容となり得る。このような意味での「資本政策」は、コーポレート・ファイナンスの分野でいうところの「最適資本構成」（企業価値を最大化させる資本構成）に関する考え方と、「最適資本構成」を実現するための施策を意味するものといい換えることもできよう。

（注）2018 年コード改訂パブコメ回答 37 番、38 番。

Q38 説明が必要な「資本政策の基本的な方針」とは何か。

●解説　　　　　　　　　　　　　　　　　　　　　　　　　　　　原則1-3

　原則1-3が説明を求めているのは、「資本政策」そのものではなく、「資本政策の基本的な方針」である。本原則にいう「資本政策の基本的な方針」とは、たとえばデット・エクイティ比をどの程度にするかという具体的な方針という意味ではなく、政策保有株式に関する方針（原則1-4）や株主の利益を害する可能性のある資本政策（原則1-6）への対応といった各論の原則の背後にある基本的な考え方（フィロソフィー）を示すことを意図しており、そのような意図から、「資本政策」自体ではなく「資本政策の基本的な方針」が説明の対象とされている(注1)。したがって、「資本政策の基本的な方針」としては、エクイティ・ファイナンスや自己株式取得に関する実施計画のような個別の施策についての具体的な予定等や、具体的な数値目標（ROEのパーセンテージ等）について言及する必要は、必ずしもないと考えられる(注2)。

　もっとも、原則5-2では、原則3-1(i)に基づく経営戦略や経営計画の開示に当たり、収益計画や資本政策の基本的な方針を示すとともに、収益力・資本効率等に関する目標の提示と、その実現のために具体的に何を実行するのかについての説明を行うことが求められている(注3)。そのため、いずれにせよ、開示する経営戦略や経営計画において、何らかの目標や、その実現のための個別の施策についての具体的な予定等に言及することが必要と考えられる。資本政策の基本的な方針を定めるに当たっては、従来、株主還元や自己資本比率に関する方針について個別的な言及がなされることが多かったが、それらにとどまらず、対話ガイドライン1-2、1-4を踏まえ、資本コスト(注4)を勘案すべきであるとされていることには留意が必要である(注5)。

(注1) 有識者会議（第7回）議事録〔油布志行金融庁総務企画局企業開示課長発言、池尾和人座長発言〕。
(注2) 油布ほか〔Ⅱ〕51頁。
(注3) 油布ほか〔Ⅳ〕54頁。
(注4) 2018年対話ガイドライン策定パブコメ回答18番、19番によれば、資本コストとは、一般的には、自社の事業リスクなどを適切に反映した資金調達に伴うコストであり、資金の提供者が期待する収益率をいうと考えられ、適用の場面に応じて株主資本コスト

やWACC（加重平均資本コスト）が用いられることが多いものと考えられるとされている。
(注5) フォローアップ会議（第14回）資料2（1頁）。

Q39 「資本政策の基本的な方針」は、ガバナンス報告書での「開示」が必要か。

●解説　　　　　　　　　　　　　　　　　　　　　　　　　原則 1-3

　原則 1-3 においては、資本政策の基本的な方針について「説明」することが求められている。前記 Q17 のとおり、コードにおいては、「開示」と「説明」は明確に区別して使用されており、「説明」が求められる原則については、ガバナンス報告書への記載以外の方法により説明を行うことが許容されている。もっとも、原則 5-2 において、経営戦略や経営計画の策定・公表に当たって、併せて資本政策の基本的な方針を示すことが求められており、かつ、その経営戦略や経営計画は原則 3-1(i)において「開示」の対象とされている。

　したがって、原則 1-3、原則 3-1(i)および原則 5-2 を併せて読めば、結局は資本政策の基本的な方針についても、経営戦略や経営計画とともにガバナンス報告書での「開示」が求められる[注]。実際にも、ガバナンス報告書の「コーポレートガバナンス・コードの各原則に基づく開示」のうち、原則 3-1(i)に基づく経営戦略や経営計画の記載中に、資本政策の基本的な方針と関係する内容が含まれている例が多数見受けられる。

(注) 2018 年コード改訂パブコメ回答 39 番。

Q40 政策保有株式に該当する株式は何か。

●解説　　　　　　　　　　　　　　　　　　　　　　　　　　　　原則1-4

　原則1-4は、いわゆる政策保有株式として上場株式を保有する場合に(注1)、①政策保有株式の縮減に関する方針等、政策保有に関する方針を開示し、②取締役会で、毎年、個別の政策保有株式について、保有の適否を検証し、その検証内容の開示を求めるとともに、③政策保有株式に係る議決権行使について具体的な基準を策定し、その基準に沿った対応を行うことを求めている。

　本原則にいう「政策保有株式」は、一般には、上場会社が純投資以外の目的で保有している株式をいうとされている。また、いわゆる株式の持合いのケースには限定されておらず、一方の上場会社が他方の上場会社の株式を一方的に保有するのみのケースも射程に含まれている点に留意を要する(注2)。

　有識者会議における議論では、上場している銀行持株会社については、単体のみならず、非上場の子銀行の方で保有されている政策保有株式も含めた対応が求められると整理されている（前記Q23参照）。このような考え方は、銀行持株会社に限らず、それ以外の上場会社についても妥当する余地があるため、政策保有株式については、グループ全体としての対応を検討すべき場合もあり得る。

　また、対話ガイドライン脚注5で明示されているように、企業内容等の開示に関する内閣府令における「みなし保有株式」等の、上場会社が直接保有していないが、上場会社の実質的な政策保有株式となっているものも含まれる。たとえば、退職給付に充てるために上場会社が信託銀行へ信託した株式について、当該上場会社が、信託された株式の議決権の指図権を有している場合、そのような株式については実質的な政策保有株式と評価されると考えられる(注3)。

(注1) なお、政策保有株式として上場株式を保有していない場合には、本原則は全体として適用されない（コンプライもエクスプレインも不要）と考えられる。佐藤65頁注17も参照。
(注2) 2018年コード改訂パブコメ回答210～213番。
(注3) フォローアップ会議（第13回）議事録〔三瓶裕喜メンバー発言〕。

Q41 政策保有株式に対する懸念の趣旨は何か。

●解説　　　　　　　　　　　　　　　　　　　　　　　　　原則 1-4

　政策保有株式については、企業間で戦略的提携を進めていく上で意義があるとの指摘もある一方、安定株主の存在が企業経営に対する規律の緩みを生じさせているのではないかとの指摘や、企業のバランスシートにおいて活用されていないリスク性資産であり、資本管理上非効率ではないかとの指摘がなされている[注1]。すなわち、政策保有株式に対する懸念としては、①投資先企業のコーポレートガバナンスへの悪影響という観点からのものと、②投資企業における投資の経済合理性の乏しさという観点からのものがある[注2]。

　①は、政策保有株式を保有する株主は、いわゆる「物言わぬ株主」として投資先企業の経営陣提案に賛成の議決権行使を行い、投資先企業の経営陣から緊張感を奪うおそれがあり、他方、政策保有株式を保有する株主が取引上の利益を優先して議決権行使を行う場合には、投資先企業の一般株主との利益相反が生じるおそれがあるというものである。また、②は、政策保有株式の保有により、投資企業には、利益率・資本効率の低下や（株価変動リスクを抱えることに伴う）財務の不安定化を招くおそれがあるというものである。

(注1) コードの改訂と対話ガイドラインの策定について 2～3 頁。
(注2) 政策保有株式に対する懸念については、自由民主党・日本経済再生本部が 2014 年 5 月 23 日に公表した「日本再生ビジョン」13～19 頁に詳しい。また、油布ほか〔Ⅱ〕51～52 頁も参照。

Q42 政策保有株式に関するコードの改訂の背景・概要は何か。

●解説　　　　　　　　　　　　　　　　　　　　　　　　　　　原則1-4

　前記Q41のとおり、政策保有株式に対する従来からの懸念を踏まえ、2018年改訂前コードの原則1-4は、政策保有株式を保有する場合には、「政策保有に関する方針を開示すべき」等としていた。

　ただ、その後も、事業法人間では政策保有株式の縮減が進んでおらず、依然として高い水準にあるとの指摘がなされていた[注1]。

　そのような状況において、フォローアップ会議では、具体的なコードの記載について、政策保有株式の保有目的には合理的なものも存在することから、一律に縮減を義務づけるものと受け取られないようにすべきとの観点から、「政策保有株式の縮減・保有に関する方針・考え方など」とする意見も出されていたが[注2]、最終的には、「政策保有株式の縮減に関する方針・考え方など」として、「政策保有株式の縮減」という記載が維持された。

　このような政策保有株式に関するコードの改訂の議論を踏まえると、政策保有株式に関するコードの改訂の趣旨は、政策保有株式の縮減に向けた方向での議論がより進展することを期するものであると考えられる。

(注1) フォローアップ会議（第11回）資料1（19頁、20頁）。
(注2) フォローアップ会議（第15回）資料別紙2・内田章メンバー「コード改定案および投資家と企業の対話ガイドライン（案）に対する意見」（2018年3月13日）。

Q43 政策保有株式の縮減に関する方針・考え方には、縮減しない方針も含まれるのか。保有の意義がなければ縮減するという方針はどうか。

● 解説   原則1-4

　原則1-4は、前記Q41の政策保有株式に関する懸念を踏まえ、上場会社が政策保有株式として上場株式を保有する場合には、政策保有株式の縮減に関する方針・考え方など、政策保有に関する方針を開示すべきであるとする。対話ガイドライン4-2-2と同趣旨である。

　「政策保有株式の縮減に関する方針・考え方<u>など</u>」とされていることから、「政策保有に関する方針」さえ開示すれば、縮減に関する方針を示さずとも、「コンプライ」といえるかが問題となるが、前記Q42のとおり、政策保有株式の縮減に向けた方向での議論がより進展することを目的とする2018年のコードの改訂の趣旨を踏まえると、縮減に関する方針が示されていない場合には、「コンプライ」ということは難しいと考えられる[注1]。

　一方、「<u>縮減に関する方針</u>」とあることから、縮減しない方針が含まれるかという点については、プリンシプルベース・アプローチの下、各社の合理的な判断に委ねられるものの、文言上は含まれるという解釈の余地もあると考えられる[注2]。ただし、その場合も、投資家の理解が得られるように、丁寧に説明することが求められる。

　具体的な記載については、政策保有に関する投資家と上場会社との対話をより建設的・実効的なものとするため、自社の個別事情に応じ、たとえば、

- 保有コストなどを踏まえ、どのような場合に政策保有を行うか
- 検証結果を踏まえ、保有基準に該当しないものにどのように対応するか

等を示すことになるとされている[注3]。

(注1) 2018年コード改訂パブコメ回答246番、247番も、「『縮減に関する方針・考え方など』を示さない場合には、同原則への『エクスプレイン』として、その理由を十分に説明することが必要」としており、同趣旨であると考えられる。
(注2) 2018年コード改訂パブコメ回答237～245番も、「今回の改訂により、必ずしも政策保有株式の一律の縮減が求められるものでは」ないとしている。
(注3) 2018年コード改訂パブコメ回答246番、247番。

Q44 取締役会における個別の政策保有株式の保有の適否は、発行会社ごとに、取締役会において個別に検証した上で、個別に開示することが必要なのか。

●解説　　　　　　　　　　　　　　　　　　　　　　　　　　　原則1-4

　コードの原則1-4は、毎年、取締役会で、個別の政策保有株式について、保有目的が適切か、保有に伴う便益やリスクが資本コストに見合っているか等を具体的に精査し、保有の適否を検証するとともに、そうした検証の内容について開示すべきであるとしている。

(1) 取締役会における検証

　取締役会における政策保有株式の検証については、2018年改訂前コードの原則1-4において、検証が必要な政策保有株式が「主要な」政策保有株式に限定されていたのとは異なり、「個別の」政策保有株式において検証が必要となる。一定の銘柄について、取締役会で検証を行わないとの対応をとる場合には、「エクスプレイン」として、その理由を十分に説明する必要がある[注1]。

　また、取締役会において保有の適否を検証するに際しては、執行側において、一定程度の準備作業を行うことも想定されるものの、原則1-4を「コンプライ」するためには、「実質的に」取締役会自らが、個別の銘柄について検証を行うことが必要とされている[注2]。コードは具体的な取締役会の運営方法を定めていないため、「実質的に」取締役会が個別の銘柄について検証を行ったかどうかは、プリンシプルベース・アプローチで各社の判断に委ねられるが、たとえば、個別の政策保有株式の保有の適否の検討結果を取締役会資料として配布し、口頭での説明は概括的に行う方法であっても、特に議論が必要な政策保有株式に関する議論の機会が確保されており、個別の政策保有株式に関する検討内容が各取締役において共有されているのであれば、「コンプライ」と整理することにも十分に合理性があるものと考えられる。ただし、2021年改訂対話ガイドライン4-2-1において、「特に、保有効果の検証が、例えば、独立社外取締役の実効的な関与等により、株主共同の利益の視点を十分に踏まえたものになっているか。」として、検証の方法として独立社外取締役の実質的な関与が問題とされている点は留意する必要

がある。

(2) 検証内容の開示

このような取締役会における個別の検証内容の開示については、必ずしも個別の銘柄ごとに保有の適否を含む検証の内容を開示することが求められるわけではない(注3)。

一方、単に「検証の結果、全ての銘柄の保有が適当と認められた」といった、一般的・抽象的な開示ではなく、コードの趣旨を踏まえ、たとえば、

- 保有の適否を検証する上で、保有目的が適切か、保有に伴う便益やリスクが資本コストに見合っているかを含め、どのような点に着眼し、どのような基準を設定したか
- 設定した基準を踏まえ、どのような内容の議論を経て個別銘柄の保有の適否を検証したか
- 議論の結果、保有の適否について、どのような結論が得られたか

等について、具体的な開示が行われることが期待されている点に留意する必要がある(注4)。2021年改訂対話ガイドライン4-2-1第3段落も、そうした検証の内容について「検証の手法も含め具体的に」分かりやすく開示・説明されているかを取り上げている。また、金融庁も、「政策保有株式:投資家が期待する好開示のポイント(例)」(注5)を公表しており、その開示例も参考になる。

(注1) 2018年コード改訂パブコメ回答216〜220番。
(注2) 2018年コード改訂パブコメ回答216〜220番。
(注3) 2018年コード改訂パブコメ回答221〜233番。フォローアップ会議(第15回)議事録〔池尾和人座長発言〕および〔内田章メンバー発言〕において、コードの原則1-4の「個別の」は「開示」にはかからない解釈が確認されている。
(注4) 2018年コード改訂パブコメ回答221〜233番。
(注5) https://www.fsa.go.jp/news/r2/singi/20210322-3.html

Q45 個別の政策保有株式に関する保有の適否の検証として、具体的に何が求められるのか。

●解説　　　　　　　　　　　　　　　　　　　　　　　　　　原則 1-4

　コードの原則 1-4 は、個別の政策保有株式について、保有目的が適切か、保有に伴う便益やリスクが資本コストに見合っているか等を具体的に精査し、保有の適否を検証することを求める。2018年改訂前コードの原則 1-4 は、「政策保有についてそのリターンとリスクなどを踏まえた中長期的な経済合理性や将来の見通しを検証」することを求めていたところ、「リターンとリスク」という表現について、純投資のリターンとリスクとの混同があるのではないかとの指摘がなされていたところであり[注1]、「資本コスト」[注2]との比較の視点が強く打ち出されていることに留意を要する。

（注1）フォローアップ会議（第14回）〔三瓶裕喜メンバー発言〕。
（注2）2018年改訂コードパブコメ回答214番、215番は、「資本コスト」について、一般的には、自社の事業リスクなどを適切に反映した資金調達に伴うコストであり、資金の提供者が期待する収益率と考えられ、適用の場面に応じて株主資本コストやWACC（加重平均資本コスト）が用いられることが多いと説明している。

Q46 政策保有株式に係る議決権の行使について、具体的な基準とはどのようなものか。

●解説　　　　　　　　　　　　　　　　　　　　　　　　　　　原則1-4

　2018年改訂前コードの原則1-4は、政策保有株主について、株主総会における議決権行使を通じた監視機能が形骸化し、いわゆる「議決権の空洞化」を招くおそれがある等といった懸念を踏まえ（前記Q41の①に対応）、議決権行使について、適切な対応を確保するための基準の策定・開示を求めていたが、こうした基準を巡っては、内容が明確性に乏しい場合があり、内容をより充実させた上で開示を求めるべきとの指摘や、政策保有株式に係る議決権行使の適切性の確保を図っていくべきではないかといった指摘がなされていた[注]。このような指摘を受けて2018年に改訂された原則1-4は、上場会社は、政策保有株式に係る議決権の行使について、適切な対応を確保するための「具体的な基準」を策定・開示し、その基準に沿った対応を行うべきであることを明確化したものである。対話ガイドライン4-2-1第4段落と同様の趣旨である。

　「具体的な基準」の内容についても、プリンシプルベース・アプローチに基づき検討すべきだが、政策保有のため自ずからさまざまな要素を判断する必要があり、普遍的・一般的な基準を策定することは必ずしも容易ではない。そのため、既存の開示事例では、その代わりに、特に慎重な議決権の行使の検討が必要となる議案を例示列挙することや、どのような場合に否定的な議決権の行使を行うのかを明示すること、議決権の行使を行うための社内的なプロセスや、発行会社との対話のプロセスを明らかにすること等が多い。

（注）2018年コード改訂パブコメ回答249番、250番。

Q47 子会社が保有する政策保有株式についての方針・議決権行使基準は、子会社が決定したものを開示すればよいのか。

●解説　　　　　　　　　　　　　　　　　　　　　　　　　　原則1-4

　有識者会議において、上場している銀行持株会社については、単体のみならず、非上場の子銀行の方で保有されている政策保有株式も含めた対応が求められる旨の議論がなされたこと(注)を踏まえれば、子会社が保有する政策保有株式についても原則1-4の対象とすべき場合があり得る。

　子会社が保有する政策保有株式についても本原則の対象とする場合、法的には、政策保有株式に関する方針・議決権行使基準は、その保有主体である子会社自身が最終的には定めるものである。もっとも、実務的には、グループ全体で政策保有株式に関する方針・議決権行使基準を定め、子会社の同意の下、親会社・子会社共通のものとして開示することが合理的と考えられる場合もあろう。

(注) 有識者会議（第8回）議事録〔油布志行金融庁総務企画局企業開示課長発言、池尾和人座長発言〕。

Q48 補充原則1-4①の趣旨は何か。具体的にどのような行為が売却等を妨げる行為に当たるのか。

●解説　　　　　　　　　　　　　　　　　　　　　　　補充原則1-4①

　補充原則1-4①は、政策保有株式を保有する上場会社が、保有の適否について検証を行った結果、保有の意義が乏しいとして、発行会社に対して売却の意向を示した場合に、発行会社が、取引の縮減を示唆することなどにより売却等を妨げている場合があるとの指摘がされていることを踏まえ、フォローアップ会議において、発行会社に対する規律づけの重要性が提言されたことを受けて設けられたものである(注1)。対話ガイドライン4-2-3と同様の趣旨である。

　どのような行為が、売却等を妨げる行為に当たるかについて、「取引の縮減を示唆すること」が例示されているが、具体的には定まっておらず、プリンシプルベース・アプローチの下、各社の合理的な判断に委ねられている。

　たとえば、資本提携の前提として、相互に株式を保有し、契約上、株式の譲渡制限が課せられていた場合で、株式を保有する上場会社から株式の売却等の意向が示されたときに、発行会社において、かかる契約上の制限に従うよう求める行為が、補充原則1-4①に抵触するか問題になる。この点については、発行会社において、補充原則1-4①について正面からエクスプレインするか、補充原則1-4①は上記の契約上の制限自体を禁止しているわけではないことから(注2)、契約上の権利を主張するにとどまるものとしてコンプライと整理するか、両様の考え方があり得るように思われる。

　なお、補充原則1-4①は、上場会社に、政策保有株式の売却等を妨げてはならないとする法的な義務を課すものではないから、政策保有株式の売却等の意向を示した際に、発行会社から実際に取引の縮減を示唆されたとしても、本原則を基礎に何らかの法的な効果が望めるものではない。

（注1）2018年コード改訂パブコメ回答251～255番。
（注2）2018年コード改訂パブコメ回答251～255番。

Q49 補充原則1-4②の趣旨は何か。株主への利益供与の禁止とはどのような関係にあるのか。

●解説　　　　　　　　　　　　　　　　　　　　　　　補充原則1-4②

　補充原則1-4②は、フォローアップ会議において、政策保有株主と上場会社との間の取引において、経済合理性を十分に検証しないまま行われているケースがあるのではないかという指摘がなされたことを踏まえ(注1)、会社が、政策保有株主との間で行う取引自体の合理性を検証することが重要である旨を示している。対話ガイドライン4-2-4と同様の趣旨である。

　このため、補充原則1-4②において検証が求められる「取引の経済合理性」には、取引の正当性・公正性の観点が含まれるものと考えられ、かかる検証に当たっては、たとえば、政策保有株主でない他の類似の取引先との取引条件等と比較して、なぜ政策保有株主である取引先と行っている取引が合理的と認められるのか等の観点が重要とされる(注2)。

　当初は、原則1-7（関連当事者間の取引）に関連する論点として議論され(注3)、補充原則1-4②も、原則1-7と同じく「会社や株主共同の利益」という表現が用いられているが、最終的な制度としては、原則1-7とは関連づけられなかった。そのため、補充原則1-4②においては、原則1-7のように、適切な手続の設定やその開示までは求められていない。

　なお、純投資目的以外の目的で保有する株式について、有価証券報告書に記載される保有目的としては、「提携関係の維持・強化」や「良好な取引関係の維持・発展」といった取引上の利益の確保が挙げられることが多い。他方で、会社法120条1項は、株式会社が株主の権利の行使に関して財産上の利益の供与を行うことを禁じている（利益供与禁止規定）。政策保有株式の保有者である株主に取引上の利益を与えることが、政策保有株式に係る「株主の権利の行使」に関してなされたものということになれば、かかる利益供与禁止規定に抵触することになる。フォローアップ会議においても、このような取引関係の維持のための株式保有も、利益供与禁止規定との抵触が問題になるとの意見が存した(注4)。もっとも、利益供与禁止規定は、昭和56年商法改正の際に、総会屋の根絶を図ることを主眼として導入されたものであり(注5)、同規定が抽象的な文言を用いていることをとらえて、上場会社間における取引関係の維持・強化といった適法な目的のための株式保有までを妨

げるような解釈をすることは適切でない[注6]。補充原則1-4②は、あくまで「会社や株主共同の利益を害するような取引」を問題とするものであって、政策保有一般について、利益供与禁止規定に抵触するリスクがあるとまで位置づけたものではないと考えられる[注7]。

―――――――――――

(注1) フォローアップ会議（第13回）議事録〔冨山和彦メンバー発言〕、フォローアップ会議（第15回）議事録〔田原泰雅金融庁総務企画局企業開示課長発言〕。
(注2) 2018年コード改訂パブコメ回答257～259番。
(注3) フォローアップ会議（第11回）議事録〔三瓶裕喜メンバー発言〕。フォローアップ会議（第14回）資料2（8頁）。
(注4) フォローアップ会議（第13回）議事録〔冨山和彦メンバー発言〕。
(注5) 竹内昭夫「株主の権利行使に関する利益供与」商事法務928号（1982）17頁以下。
(注6) 企業結合や継続的取引関係の維持を目的とする株式持合いについて、利益供与禁止規定を適用することには慎重でなければならないとする見解として、森本滋『会社法〔第2版〕（現代法学）』（有信堂高文社、1995）207頁参照。
(注7) 2018年コード改訂パブコメ回答260番も、補充原則1-4②の趣旨として、「政策保有の理由として、『取引関係の維持』等が挙げられることが多い現状に鑑み、こうした取引が会社や株主共同の利益を害するようなものとならないようにすべきことを直接的に規定したもの」としており、同様の立場に立つものと考えられる。また、商事法務研究会に設置された会社法研究会の研究会資料9は、利益供与禁止規定について、株式の持合先との取引を含む適用が問題となり得る事例を詳細に論じている。

Q50 買収防衛策を導入している会社は何をすればよいのか。

●解説　　　　　　　　　　　　　　　　　　　　　　　　　　　原則1-5

　原則1-5は、いわゆる買収防衛策の導入・運用について、必要性・合理性の検討や適正な手続の確保、および、株主への十分な説明を行うことを求めている。

　本原則の対象となる買収防衛策は、「買収防衛の効果をもたらすことを企図してとられる」方策であり、ライツ・プランのような特定の買収防衛策に限定されるわけではないが、意図せずに買収防衛の効果を事実上もたらし得るような通常の事業活動等までを含むものではないとされている[注]。

　このような意味における買収防衛策は、実務上は、経済産業省・法務省が2005年5月27日付で公表した「企業価値・株主共同の利益の確保又は向上のための買収防衛策に関する指針」（以下「買収防衛策指針」という）に従って導入・運用されることが一般的である。また、東証のルールにおいても、買収防衛策の導入に当たっては、①開示の十分性、②透明性、③流通市場への影響、および、④株主の権利の尊重という4つの事項を遵守することが義務づけられており（有価証券上場規程440条参照）、かかる遵守事項に違反した場合には、公表措置の対象となり得る（同規程508条1項2号）ほか、一定の場合には、上場廃止とされる場合もある（同規程601条1項17号、同規程施行規則601条15項）。

　さらに、会社法や金融商品取引法において、買収防衛策の基本方針やライツ・プランの内容について、事業報告（会社法施行規則118条3号）および有価証券報告書（企業内容等の開示に関する内閣府令第3号様式記載上の注意(10)・第2号様式記載上の注意(30)、第3号様式記載上の注意(35)・第2号様式記載上の注意(54)）における開示が求められている。

　したがって、買収防衛策を導入している会社は、通常は、これらの規律を遵守したことをもって、すでに「導入」について必要性・合理性の検討や適正な手続の確保を行っており、また、株主に対しても十分な説明を行っているものと整理することが可能であると思われる。また、この場合、「運用」についても、引き続き、買収防衛策指針に従うとともに、既存の開示ルール等に従った対応を行うことで、本原則に対応しているものと考えることも合理的であるように思われる。

（注）油布ほか〔Ⅱ〕53頁。

Q51 買収防衛策を導入していない会社は何かする必要があるのか。

●解説　　　　　　　　　　　　　　　　　　　　　　　　　　　原則1-5

　原則1-5は、買収防衛策を導入しておらず、かつ、今後も導入する予定がない会社に対しては適用されない。したがって、かかる会社においては、本原則との関係で特段の対応を行う必要はなく、その理由をエクスプレインする必要もない。また、（具体的な導入予定がないにもかかわらず）買収防衛策を導入することを仮定して、かかる仮定を前提とした考え方を説明するといった対応をする必要もない。

Q52 自社の株式が公開買付けに付された場合には何をすればよいのか。

●解説　　　　　　　　　　　　　　　　　　　　　　　補充原則1-5①

　補充原則1-5①は、自社の株式が公開買付けに付された場合には、取締役会としての考え方（対抗提案があればその内容を含む）を明確に説明すべきとし（前段）、また、株主が公開買付けに応じて株式を手放す権利を不当に妨げる措置を講じるべきではないとする（後段）。

　本補充原則の前段において求められる、取締役会としての考え方を説明する手段・媒体等については特段限定されておらず、基本的には各上場会社の合理的な判断に委ねられていると考えられるが、公開買付けの際に対象会社が提出する意見表明報告書において、公開買付けに関する対象会社の意見の内容および根拠を記載しなければならないとされているため[注1]、基本的には、かかる意見表明報告書において取締役会としての考え方等を明確に記載して開示することで、本補充原則の前段に対応することが可能と考えられる[注2]。

　他方、本補充原則の後段では「株主が公開買付けに応じて株式を手放す権利を不当に妨げる措置」を講じるべきではないとされている。これは、公開買付けが株主にとって適切な株式売却の機会となり得ることから、基本的にはこうした売却を妨害する効果のあるような措置を講じるべきではないことを示すものであるとされている[注3]。そのため、「公開買付けに応じて株式を手放す権利を不当に妨げる措置」とは、公開買付けの際の買収防衛策の発動を念頭に置いた記載であると考えられるが、「不当に」という文言が示しているとおり、買収防衛策の発動を一律に禁ずるものではなく、どのような場合にどのような措置を講じることが許容されるかについて、株主に対する受託者責任を全うする観点から合理的に判断することを期待する趣旨であると解される[注4]。

（注1）金融商品取引法27条の10第1項、発行者以外の者による株券等の公開買付けの開示に関する内閣府令25条1項2号。
（注2）油布ほか〔Ⅱ〕53頁。
（注3）油布ほか〔Ⅱ〕53頁。
（注4）油布ほか〔Ⅱ〕53頁。

Q53 支配権の変動等をもたらす資本政策については何をすればよいのか。

● 解説 原則1-6

　原則1-6は、支配権の変動や大規模な希釈化をもたらす資本政策（増資、MBO等を含む）については、既存株主を不当に害することのないよう、取締役会・監査役は、株主に対する受託者責任を全うする観点から、その必要性・合理性をしっかりと検討し、適正な手続を確保するとともに、株主に十分な説明を行うべきであるとする。本原則は、大規模な増資やMBOにおいて要求される、法令等の規律（開示の規律を含む）の適切な遵守を含め、株主に対する受託者責任を全うする観点からの適切な対応を求めるものであると考えられている(注1)。

　支配権の変動を伴う増資については、第三者割当による募集株式等の割当てを行う場合等において引受人の議決権比率が25％以上となる場合等には、上場規則において独立者の意見入手または株主の意思確認をする必要があるとされている(注2)ほか、平成26年会社法改正により、募集株式の発行により引受人の議決権比率が50％を超える場合には、株主に対する通知または公告（さらに、10％以上の議決権を有する株主から反対通知があった場合には、原則として株主総会決議）が求められることとなった(注3)。

　また、MBOの場面においては、経済産業省のいわゆるMBO指針(注4)や、東証の通知(注5)等を踏まえ、経営陣と株主との間の利益相反に配慮した実務慣行（独立委員会の設置等）が形成され、その後、MBOおよび支配株主による従属会社の買収を中心に、経済産業省「公正なM&Aの在り方に関する指針－企業価値の向上と株主利益の確保に向けて－」（2019年6月28日）が公表されている。

（注1）油布ほか〔Ⅱ〕53頁。
（注2）有価証券上場規程432条。
（注3）会社法206条の2。
（注4）経済産業省「企業価値の向上及び公正な手続確保のための経営者による企業買収（MBO）に関する指針」（2007年9月4日）。
（注5）東証「東証上会第752号　MBO等に関する適時開示内容の充実等について」（2013年7月8日）。

Q54 関連当事者間の取引とは何か。

●解説　　　　　　　　　　　　　　　　　　　　　　　　　　原則 1-7

　原則 1-7 は、役員や主要株主等との取引（関連当事者間の取引）について、①適切な手続を定め、②その枠組みを開示し、③その手続を踏まえた監視を行うべきとする。

　会計基準においては、「関連当事者」は、子会社や関連会社を含む幅広い概念とされている[注]が、本原則の趣旨・精神を踏まえると、必ずしも会計基準と同様に考える必要はないように思われる。すなわち、本原則の趣旨は、上場会社による、役員や主要株主等、上場会社に対して大きな影響力を及ぼし得る当事者との間の取引は、その利益相反性から、上場会社に不利益を与える類型的なおそれを有することに鑑み、かかる取引について一定の監視等を行うことを求めるものであると考えられる。かかる本原則の趣旨からすれば、上場会社とその子会社との間の取引は、上場会社に対して不利益を与える類型的なおそれが高いとはいえないことが通常であるため、実務上、本原則の対象となる取引には該当しないと解することにも一定の合理性がある。

(注) 企業会計基準委員会「企業会計基準第 11 号　関連当事者の開示に関する会計基準」（2016 年 12 月 26 日修正）5 項(3)。

> **Q55** 関連当事者間の取引を行っていない場合でも、手続を定める必要があるのか。

●解説　　　　　　　　　　　　　　　　　　　　　　　　　　原則 1-7

　原則 1-7 は、関連当事者間の取引について、「あらかじめ」手続を定めることを求めるものであるため、現在取引を行っていないからといって、そのような手続の策定が必ずしも不要となるといい切れるものではない。

　ただ、本原則では、「取引の重要性やその性質に応じた」適切な手続の策定が求められており、求められる「手続」の内容には一定の幅があり得ると考えられる[注]。このことも踏まえると、関連当事者間の取引を現に行っておらず、行う予定もない場合には、本原則に形式的に対応するためだけにあえてコストをかけて詳細な手続を定める必要はないものと考えられる。

（注）油布ほか〔Ⅱ〕54 頁。

Q56 関連当事者間の取引については何をすればよいのか。

●解説　　　　　　　　　　　　　　　　　　　　　　　　　　　　原則 1-7

　前記 Q55 のとおり、原則 1-7 において、関連当事者間の取引について求められる手続の内容には一定の幅があり得るところであり、その具体的な内容は、「取引の重要性やその性質」のほか、各社の個別事情（役員構成、株主構成等）も踏まえた各社の合理的な判断に委ねられるものと考えられる。

　本原則は、上場会社と、上場会社に対して大きな影響力を及ぼし得る当事者との間の取引の利益相反性に着目したものであるところ、一般に、そのような利益相反性の高い取引において、一般株主の利益を害することのないよう留意するための仕組みとしては、たとえば、任意の諮問委員会の活用(注1)、独立性のある役員による承認、専門家の意見の聴取(注2)、取締役会における審議（決議や報告）(注3)等、多様な方法が考えられる。

　また、独立当事者間取引基準による取引条件の設定も、合理的な対応となり得る。ただし、グループ間取引について完全な独立当事者間取引基準を適用した場合には、グループ全体の効率性を害することになるとの指摘もあるため(注4)、この点も踏まえ、実態に即した開示が求められる点に留意する必要がある。

（注1）油布ほか〔Ⅱ〕54頁。
（注2）なお、東証の上場規則においては、支配株主等が関連する重要な取引等を行うことについての決定をする場合には、支配株主との間に利害関係を有しない者による、当該決定が上場会社の少数株主にとって不利益なものでないことに関する意見の入手を行うべきとされており（有価証券上場規程441条の2第1項）、利益相反性の高い取引への対応については、この点も参考となる。
（注3）なお、本原則は、監視の内容について「取引の承認を含む」としているが、これは例示であり、あらゆる取引について取締役会の承認を求めるものではない（油布ほか〔Ⅱ〕54頁）。
（注4）法制審議会会社法制部会第11回会議議事録〔藤田友敬幹事発言〕。

第3章

基本原則2
「株主以外のステークホルダーとの適切な協働」

Q57 経営理念とは何か。策定した経営理念は開示が必要か。

●解説　　　　　　　　　　　　　　　　　　　　　　　　　　原則 2-1

　原則 2-1 は、さまざまなステークホルダーへの価値創造に配慮した経営を行いつつ中長期的な企業価値向上を図るべきであり、こうした活動の基礎となる経営理念を策定すべきであるとする。これを踏まえ、原則 3-1(i)においても、「会社の目指すところ（経営理念等）」という表現で、原則 2-1 に基づいて策定された経営理念についても開示し、主体的な情報発信を行うべきとされている。

　原則 3-1(i)によって開示の対象となる「会社の目指すところ（経営理念等）」は、会社の価値観や事業活動の大きな方向性を定め、具体的な経営戦略・経営計画や会社のさまざまな活動の基本となるものであるとともに、株主を含むステークホルダーにとって、会社がさまざまなステークホルダーに配慮しつつどのように中長期的な企業価値向上を図っていくのかを理解するための情報として重要であり、このような実質を有するものであれば、「経営理念」という名称に限らず、たとえば「社訓」や「社是」とされ(注1)、更にはいわゆる「パーパス」や「ビジョン」といったものも含まれると考えられる。このことは、開示の対象となる「会社の目指すところ（経営理念等）」に限られるものではなく、原則 2-1 に基づき策定される「経営理念」についても、名称にとらわれず、上記の実質を有するものであれば、これに含めてよいと考えられる。

　実際の開示事例としては、自社のウェブページに「会社の目指すところ（経営理念等）」を掲げた上で、これをガバナンス報告書において参照する例が多いが、ガバナンス報告書に直接に会社の目指すところ（経営理念等）を記載して開示する例も見受けられる(注2)。

(注 1) 油布ほか〔Ⅲ〕36 頁、42 頁注 24。
(注 2) 森・濱田松本法律事務所編『コードに対応したコーポレート・ガバナンス報告書の記載事例の分析〔2020 年版〕（別冊商事法務 456 号）』（商事法務、2020）99 頁。

Q58
行動準則とは何か。今までやってきていないことが求められているのか。

●解説　　　　　　　　　　　　　　　　　　　原則 2-2、補充原則 2-2 ①

　原則 2-2 は、上場会社は、その構成員が従うべき行動準則を定め、実践すべきであるとし、取締役会がかかる行動準則の策定・改訂の責務を担うとともに、それが浸透し、遵守されるようにすべきとする。そして、これを受けた補充原則 2-2 ①は、取締役会が、会社の行動準則が広く実践されているかについてレビューを行うことを求めている。

　ここでいう行動準則とは、「ステークホルダーとの適切な協働やその利益の尊重、健全な事業活動倫理など」についての「会社としての価値観を示し」たものを指し（本原則第 1 文）、その内容は、法令遵守にとどまらず、倫理的問題や社会・環境問題をはじめとするサステナビリティを巡る課題に対する認識・方針を広く含み得るものである(注)。適用対象には、上場会社自体の役職員のほか、グループの全役職員が含まれるものとされることも多い。

　本原則で策定が求められる行動準則の名称は、倫理基準、行動規範等さまざまなものが考えられるが、このような行動準則は、多くの上場会社においてすでに定められ、また、自社のウェブサイト等において自主的に公表されているものであり、今まで馴染みのない新たな準則の策定が求められるわけではない。なお、行動準則は、原則 2-1 で策定すべきとされている経営理念を実現するために遵守すべき規範として位置づけられることも多く、経営理念と結びつけて定められることもある。

（注）G20/OECD コーポレート・ガバナンス原則Ⅵ C の注釈において言及されている OECD 多国籍企業行動指針のほか、国連グローバル・コンパクト（UNGC）の 10 原則（http://ungcjn.org/gc/principles/index.html）や国際規格「ISO26000 ―社会的責任に関する手引」、日本経済団体連合会の「企業行動憲章」等を参考にして行動準則を策定する例も存する。
近時は、2015 年 9 月の国連サミットで採択された「持続可能な開発のための 2030 アジェンダ」における持続可能な開発目標（SDGs：Sustainable Development Goals）（Q59（注 2）参照）や、国連の責任投資原則（PRI：Principles for Responsible Investment）（Q60（注 5）参照）等を踏まえることも考えられる。

Q59 サステナビリティを巡る課題とは何か。

● 解説　　　　　　　　　　　　　　　　　　　　原則 2-3、補充原則 2-3 ①

　原則 2-3 は、上場会社に対し、社会・環境問題をはじめとするサステナビリティを巡る課題について、適切な対応を行うことを求めている。また、これを受けた補充原則 2-3 ①が、取締役会は、サステナビリティを巡る課題への対応がリスクの減少のみならず収益機会にもつながる重要な経営課題であると認識し、中長期的な企業価値向上の観点から、これらの課題に積極的・能動的に取り組むよう検討を深めるべきとしている。

　2021 年改訂前のコードにおいては、サステナビリティ課題への対応が企業のレピュテーションに直結するものであるという問題意識を背景として[注1]、サステナビリティを巡る課題を「重要なリスク管理の一部」と位置づけ、取締役会がこれらの課題に積極的・能動的に取り組むよう検討「すべき」としていた。

　しかし、近時においては、国連サミットで採択された「持続可能な開発目標」（SDGs: Sustainable Development Goals）[注2]の重視傾向の加速や、気候関連財務情報開示タスクフォース（TCFG）への賛同機関数が増加する等、サステナビリティが重要な経営課題であるとの意識が高まっており[注3]、リスクとしてのみならず収益機会としても、サステナビリティを巡る課題に積極的・能動的に対応することの重要性が高まっている[注4]。そこで、2021 年改訂コードの補充原則 2-3 ①は、この点を明記するとともに、取締役会における検討を「深めるべき」としており、改訂前よりも深度ある対応を求めている[注5]。

　2021 年改訂コードの補充原則 2-3 ①においては、サステナビリティを巡る課題の例示として、(1)気候変動などの地球環境問題への配慮、(2)人権の尊重、(3)従業員の健康・労働環境への配慮や公正・適切な処遇、(4)取引先との公正・適正な取引、(5)自然災害等への危機管理が列挙されている。サステナビリティに関しては、従来より、ESG（Environment：環境、Social：社会、Governance：企業統治・ガバナンス）のうち「E」（環境）の要素への注目が高まっているところであるが、それに加え、近年、人的資本への投資等の「S」（社会）の要素の重要性も指摘されており[注6]、この点にも配慮した内容となっている。

補充原則2-3①において列挙されたサステナビリティ課題は、社会全体と全ての会社の双方にとって共通の差し迫ったリスクと評価し得る事項であって^(注7)、特に重要性の高い課題であると考えられる。しかし、サステナビリティの要素として取り組むべき課題には、全企業に共通するものだけでなく、各企業の事情に応じて異なるものも存在する。上場会社においては、各社が主体的に自社の置かれた状況を的確に把握し、取り組むべきサステナビリティ要素を個別に判断していくことが求められている^(注8)。

　なお、2021年改訂対話ガイドライン1-3においては、ESGやSDGsに対する社会的要請・関心の高まりのほか、デジタルトランスフォーメーション、サイバーセキュリティ対応、サプライチェーン全体での公正・適正な取引^(注9)や国際的な経済安全保障を巡る環境変化への対応等も取り上げられており、これらの点にも留意する必要がある。

――――――――

(注1) 有識者会議（第6回）議事録〔油布志行金融庁総務企画局企業開示課長発言〕。
(注2) 持続可能な世界を実現するための17のゴール・169のターゲットから構成された2016年から2030年までの国際目標。
(注3) 2021年改訂コード基本原則2の 考え方 参照。
(注4) 2021年改訂提言Ⅱ.3. 参照。
(注5) 2021年コード改訂パブコメ回答303番。
(注6) 2021年改訂提言Ⅱ.3. 参照。
(注7) フォローアップ会議（第24回）議事録〔神作裕之メンバー発言〕。
(注8) 2021年改訂提言Ⅱ.3. 参照。
(注9) 例えばグローバルなサプライチェーンにおける人権問題等が念頭に置かれているものと考えられる。島崎ほか12頁。

Q60 サステナビリティを巡る課題について、どのような対応をすべきか。

● 解説　　　　　　　　　　　補充原則 2-3 ①、補充原則 4-2 ②

　前記 Q59 のとおり、2021 年改訂においては、補充原則 2-3 ①が、サステナビリティを巡る課題への対応がリスクの減少のみならず収益機会にもつながる重要な経営課題であることを明記するとともに、取締役会がこれらの課題に積極的・能動的に取り組むよう検討を深めるべきとし、改訂前よりも深度ある対応を求めている。上場会社およびその取締役会は、プリンシプルベース・アプローチの趣旨に則り、自社の置かれた状況を的確に把握し、取り組むべきサステナビリティ要素を個別に判断した上で、実質的な対応を行うことが期待される。

　特に、2021 年改訂コードの補充原則 4-2 ②前段においては、取締役会は、中長期的な企業価値の向上の観点から、自社のサステナビリティを巡る取組みについて基本的な方針を策定すべきであるとされている。

　その上で、具体的な施策としては、まず、サステナビリティに関する委員会を社内に設置するなどの枠組みの整備が考えられる[注1]。上場会社においては、従来のCSR活動の延長として、「サステナビリティ委員会」等を設置する例もみられるところ、これらの枠組みを活用することも考えられる。2021 年改訂対話ガイドライン 1-3 においても、「例えば、取締役会の下または経営陣の側に、サステナビリティに関する委員会を設置するなど、サステナビリティに関する取組みを全社的に検討・推進するための枠組みを整備しているか。」が取り上げられている[注2]。そのほか、各社において、各社の事業を取り巻く環境等に鑑み、サステナビリティを担当する取締役を選任することも「サステナビリティに関する取組みを全社的に検討・推進するための枠組み」に該当し得るものと考えられる[注3]。

　また、サステナビリティへの取組みを全社的に検討・推進する上では、ステークホルダーとの対話の充実も有益と考えられる。特に、投資家と企業の間のサステナビリティに関する建設的な対話を促進する観点からは、サステナビリティに関する開示が行われることが重要と考えられる[注4]。この点、2021 年改訂前から、基本原則 3 の 考え方 において、非財務情報にいわゆる ESG 要素に関する情報が含まれるものとされていたが、2021 年改訂においては、より具体的に、補充原則 3-1 ③において、経営戦略の開示に当

たって自社のサステナビリティについての取組みを適切に開示すべきであるとされた（後記Q79参照）。2020年時点で国連の責任投資原則（PRI：Principles for Responsible Investment）[注5]に署名した機関投資家の数が約3,000に達し、その運用資産総額も100兆ドルに達する[注6]等、ESGに関する投資家側の注目も急速に高まっており、国際的にもESG関連の株主提案が増加し賛成率も上昇するなど[注7]、サステナビリティについての取組みに関する開示は、これまで以上に重要性を増している。

　以上に加え、2021年改訂コードの補充原則4-2②後段においては、人的資本・知的財産への投資等の重要性に鑑み、これらをはじめとする経営資源の配分や、事業ポートフォリオに関する戦略の実行が、企業の持続的な成長に資するよう、（取締役会が）実効的に監督を行うべきものとされている。これは、企業の持続的な成長に向けた経営資源の配分に当たっては、人的資本への投資や知的財産の創出が企業価値に与える影響が大きいとの指摘を踏まえたものである[注8]。これに関連して、2021年改訂コードの補充原則3-1③前段第2文では、人的資本や知的財産への投資等について、自社の経営戦略・経営課題との整合性を意識しつつ分かりやすく具体的に情報を開示・提供すべきものとしている（後記Q79参照）。

（注1）2021年改訂提言Ⅱ.3.参照。
（注2）JPX400の企業のうち、サステナビリティ関係の委員会を設けている企業は55社存在する。そのうち、取締役会直下としている企業は8社であり、執行側の機関としている企業は24社である。（フォローアップ会議（第24回）資料3・金融庁「第24回事務局参考資料（ESG要素を含む中長期的な持続可能性（サステナビリティ）について）」（2021年2月15日）9頁）。
（注3）2021年コード改訂パブコメ回答349番。
（注4）2021年改訂提言Ⅱ.3.参照。
（注5）国際連合が2005年に公表し、加盟する機関投資家等が投資ポートフォリオの基本課題への取組みについて署名した投資原則である投資を通じてESG責任を全うする際に必要な6つの原則。
（注6）コーポレート・ガバナンス白書2021・56頁、57頁。
（注7）近澤諒「ESGと株主対応」商事法務2255号（2021）5頁、9頁。
（注8）2021年改訂提言Ⅱ.3.参照。

> **Q61** 女性の活躍促進に関する対応状況はどうか。

●解説　　　　　　　　　　　　　　　　　　　　　　　　　　　　原則2-4

　原則2-4は、社内における女性の活躍促進を含む多様性の確保を推進すべきであるとする。本原則において、性別は「多様性」を構成する1つの要素であり、多様性の中にはその他にも年齢および国籍等の幅広い内容を含むものと考えられているが、政府が掲げる重点施策の1つとして、女性活躍推進が掲げられ、各企業においても対応が求められている[注1]。

　ガバナンス報告書記載要領においては、当該報告書のⅢ3.「ステークホルダーの立場の尊重に係る取組み状況」のd.「その他」の補足説明として、役員や管理職への女性・外国人・中途採用者の登用等に関する現状や登用促進に向けた取組みを記載することが考えられるとされている。2021年3月公表の東証による統計によれば、全上場会社の21.2％に当たる780社が、ガバナンス報告書において「女性の活躍」状況を記載している。その上で、女性が企業で活躍するためには、育児や介護を支援する環境整備への取組み、例えば、育児短時間勤務制度や、フレックスタイム制度および看護休暇等の環境整備が求められるところ、そのような会社側の取組状況に言及している会社が486社（13.2％）存在する[注2]。

　また、企業内容等の開示に関する内閣府令においては、有価証券報告書および有価証券届出書等において、提出会社の役員の男女別人数および女性比率の記載が義務づけられている[注3]。

　さらに、2016年4月1日に施行された「女性の職業生活における活躍の推進に関する法律」（女性活躍推進法）では、従業員301人以上[注4]の事業主に、当該事業主が実施する女性の職業生活における活躍の推進に関する取組みに関する計画（一般事業主行動計画）を策定し、厚生労働大臣に届け出ることが義務づけられるとともに（同法8条）、その事業における女性の職業生活における活躍に関する情報を定期的に公表しなければならないものとされている（同法20条）。2019年6月5日公布の改正法において、事業主は、情報公表項目について、(1)職業生活に関する機会の提供に関する実績（役員、管理職又は係長級にある者に占める女性の割合等）(2)職業生活と家庭生活との両立に資する雇用環境の整備に関する実績（男女の平均継続勤務年数の差異、労働者の一月当たりの平均残業時間等）の各区分から1項目以上公表す

る必要があるものとされたところ、「役員の女性比率」や「管理職の女性比率」は公表項目(1)の1つとされている。

(注1) 首相官邸「未来投資戦略2018—「Society 5.0」「データ駆動型社会」への変革—」108頁においては、「上場企業の女性役員の状況やESG投資における女性活躍情報の活用状況の公表を進める。また、女性の役員人材の育成に向け、女性役員育成研修及び修了者人材バンクの充実・強化を行うとともに、関係府省で人材育成研修の認証等の仕組みを検討する。」とされている。

(注2) コーポレート・ガバナンス白書2021・49頁、50頁。

(注3) 企業内容等の開示に関する内閣府令第2号様式（有価証券届出書）、第3号様式（有価証券報告書）、第4号の3様式（四半期報告書）および第5号様式（半期報告書）。

(注4) 2019年6月5日公布の改正法において、一般事業主行動計画の策定・届出義務および自社の女性活躍に関する情報公表の義務の対象が、常時雇用する労働者が301人以上から101人以上の事業主に拡大され、2022年4月1日施行予定である。

Q62 多様性の確保に関して、どのような対応が必要か。

●解説　　　　　　　　　　　　　　　　　　　　　　　補充原則2-4①

　2021年改訂コードにおいて新設された補充原則2-4①は、その前段において、女性・外国人・中途採用者の管理職への登用等、中核人材への登用等における多様性の確保についての考え方と自主的かつ測定可能な目標を示すとともに、その状況(注1)を開示すべきとしている。2021年改訂提言において、「企業がコロナ後の不連続な変化を先導し、新たな成長を実現する上では、取締役会のみならず、経営陣にも多様な視点や価値観を備えることが求められる」とされたことを踏まえ、特に取締役会や経営陣を支える管理職への登用等、中核人材の登用等に着目したものと考えられる(注2)。

　補充原則2-4①前段では、多様性の要素として、「女性・外国人・中途採用者」が特筆されており、それらの管理職への登用等について「自主的かつ測定可能な目標」を示さない項目がある場合は、その旨およびその理由を示すことが求められる(注3)(注4)。また、多様性の要素はこれらに限られるものではなく、各社において、他の要素（例えば年齢）を加えることも考えられる(注5)。「自主的かつ測定可能な目標」については、プリンシプルベース・アプローチの下、各社が自社の状況に応じて合理的に判断することとなる。「測定可能」な目標は、具体的な人数やその割合等、特定の数値を用いて定めることも考えられるが、それらに限られず、例えば、①程度という表現やレンジ（範囲）を用いて示す方法や、②現状の数値を示した上で「現状を維持」「現状より増加させる」といった目標を示す方法でも、「測定可能」な目標に含まれるとされている。また、努力目標として示すことも許容される(注6)。

　補充原則2-4①後段は、中長期的な企業価値の向上に向けた人材戦略の重要性に鑑み、多様性の確保に向けた人材育成方針と社内環境整備方針をその実施状況と併せて開示すべきとしている。本補充原則は、多様な人材を活かし社内全体としての多様性の確保を推進するためには、人材育成体制や社内環境の整備も重要であることから、多様な働き方やキャリア形成を受け入れた上で、社員のスキルや成果が公正に評価され、それに応じた役職・権限、報酬、機会を得る仕組みの整備を求めるものである(注7)。これらの方針の内容は、各社が自社を取り巻く事業環境等を踏まえて検討することとなる

が、一例としては、新型コロナウイルスの感染状況を踏まえたデジタル化を伴う人材育成や社内環境整備に係る方針等が考えられ、その方針の中に人材採用に関する方針を含めることも想定される[注8]。

(注1)「その状況」とは、実際の進捗状況・達成状況を示す（2021年コード改訂パブコメ回答268番）。
(注2) 2021年コード改訂パブコメ回答250番。
(注3) 2021年コード改訂パブコメ回答252番、253番およびガバナンス報告書記載要領Ⅰ1.(2)。
(注4) なお、「外国人」について、個々人の国籍の開示までは求められていない（2021年コード改訂パブコメ回答263番）。
(注5) 2021年コード改訂パブコメ回答259番。その他、例えば、ICGNがフォローアップ会議に対して提出した意見書（https://www.fsa.go.jp/singi/follow-up/siryou/20210331/06.pdf）3頁においては、多様性の要素として、「性別、民族（適用される法域では）、国籍、社会的・経済的背景、および個人の属性」が挙げられている。
(注6) 2021年コード改訂パブコメ回答252番、253番。
(注7) フォローアップ会議「意見書(5) コロナ後の企業の変革に向けた取締役会の機能発揮及び企業の中核人材の多様性の確保」（2020年12月18日）Ⅱ.2。
(注8) 2021年コード改訂パブコメ回答260番。

Q63 内部通報について取締役会がすべきことは具体的に何か。

● 解説　　　　　　　　　　　　　　　　　　　　　　　　　　原則 2-5

　原則 2-5 は、上場会社に対し、内部通報に係る適切な体制整備を求め、取締役会がかかる体制整備を実現する責務を負うとともに、その運用状況を監督すべきとしている。

　内部通報制度は、公益通報者保護法の制定を契機としてその導入が進んでおり、近時においては、内部通報により、粉飾決算等の問題が発覚することも少なくない。本原則は、上場会社の取締役会に対し、内部通報制度が実際に機能するよう、適切な体制整備とその運用状況の監督を求めるものである。

　本原則のコンプライに当たっては、プリンシプルベース・アプローチの下、各社の個別事情を踏まえて、どのような内部通報制度が有効に機能するかという観点から検討することが求められる。たとえば、グループ会社の役職員にも内部通報制度の利用を可能とすること等も考えられよう。また、本原則は、「伝えられた情報や疑念が客観的に検証され適切に活用される」ような体制であることも求めており、提供を受けた情報をいかに検証し活用していくかについての情報受領者側の体制の整備も必要と考えられる。さらに、本原則は、取締役会において内部通報体制の運用状況を監督すべきとしている。内部通報体制は、会社法上の内部統制システムの構築に当たりこれを活用することが少なくないが、その場合には、本原則に基づく監督は、内部統制システムの運用状況のレビューの一環として行われるものと整理することも可能であろう(注)。

　なお、2021 年改訂対話ガイドライン 3-12 においては、「内部通報制度の運用の実効性を確保するため、内部通報に係る体制・運用実績について開示・説明する際には、分かりやすいものとなっているか。」が取り上げられており、事業報告等における開示内容を検討するにあたっては、この点にも留意する必要がある。

(注) 会社法施行規則においては、内部統制システムの運用状況の概要が事業報告の記載事項とされており（会社法施行規則 118 条 2 号）、取締役会は、事業報告の承認（会社法 436 条 3 項）に当たってもこれをレビューすることになる。また、2018 年コード改

訂パブコメ回答においては、原則 2-5 が求める「内部通報に係る適切な体制整備」に当たっては、それぞれの上場会社の判断により、消費者庁「公益通報者保護法を踏まえた内部通報制度の整備・運用に関する民間事業者向けガイドライン」（2016 年 12 月 9 日）を踏まえることが考えられるとされている（2018 年コード改訂パブコメ回答 306 〜 312 番）。

Q64 経営陣から独立した内部通報の窓口とは何か。

●解説　　　　　　　　　　　　　　　　　　　　　　　　　　補充原則2-5①

　補充原則2-5①は、上場会社に対し、内部通報に係る体制整備の一環として、経営陣から独立した窓口の設置を行うべきとしている。

　社内において「経営陣から独立した窓口」を設ける場合には、本補充原則が例示するように社外取締役と監査役による合議体を窓口とする方法のほか、監査役を窓口とする方法等も考えられる。

　他方、社外に内部通報窓口を設ける場合(注1)には、たとえば、外部の法律事務所等を窓口とすることが考えられ、このような体制も、通常は、本補充原則が想定する「経営陣から独立した窓口の設置」に該当するものと考えられる(注2)。

（注1）消費者庁「平成28年度民間事業者における内部通報制度の実態調査報告書」（2017年1月4日）28頁によれば、内部通報制度を「導入している」と回答した会社のうち、従業員数が1001人～3000人の会社の約69%、3000人を超える会社の約77%が社内外のいずれにも内部通報窓口を設置している。また、同報告書31頁によれば、社外に内部通報窓口を設置している会社における設置場所としては、法律事務所（顧問弁護士）が約49%、親会社・関連会社が約23%、法律事務所（顧問でない弁護士）が約22%、通報受付専門会社が約15%となっている（複数回答）。

（注2）油布ほか〔Ⅱ〕56頁。なお、2018年コード改訂パブコメ回答においては、原則2-5が求める「内部通報に係る適切な体制整備」にあたっては、それぞれの上場会社の判断により、消費者庁「公益通報者保護法を踏まえた内部通報制度の整備・運用に関する民間事業者向けガイドライン」（2016年12月9日）を踏まえることが考えられるとされている（2018年コード改訂パブコメ回答306～312番）。

Q65 企業年金にアセットオーナーとしての機能の発揮を求める原則 2-6 の意義は何か。

● 解説　　　　　　　　　　　　　　　　　　　　　　　　　原則 2-6

　年金基金等のいわゆるアセットオーナーは、運用機関（アセットマネジャー）に対して運用委託を行い、運用機関が上場会社に対する投資を行う。このような運用機関、およびその背後のアセットオーナーが企業価値の向上に対して果たし得る役割の大きさに照らし、2020 年 3 月に改訂されたスチュワードシップ・コードにおいては、アセットオーナーに対して、以下の取組みが求められることとなった（スチュワードシップ・コード 1-3、1-4）。

- 最終受益者の視点を意識しつつ、その利益の確保のため、自らの規模や能力等に応じ、運用機関による実効的なスチュワードシップ活動が行われるよう、運用機関に促すべき
- アセットオーナーが直接、議決権行使を伴う資金の運用を行う場合には、自らの規模や能力等に応じ、自ら投資先企業との対話等のスチュワードシップ活動に取り組むべき
- 自らの規模や能力等に応じ、運用機関による実効的なスチュワードシップ活動が行われるよう、運用機関の選定や運用委託契約の締結に際して、議決権行使を含め、スチュワードシップ活動に関して求める事項や原則を運用機関に対して明確に示すべき
- 特に大規模なアセットオーナーにおいては、インベストメント・チェーンの中での自らの置かれている位置・役割を踏まえ、運用機関の方針を検証なく単に採択するのではなく、スチュワードシップ責任を果たす観点から、自ら主体的に検討を行った上で、運用機関に対して議決権行使を含むスチュワードシップ活動に関して求める事項や原則を明確に示すべき

　一方で、運用機関による企業との対話の内容が依然として形式的であり、企業に「気づき」をもたらす例は限られていることや、多くのアセットオーナー、特に企業年金等において、運用や運用機関に対するモニタリングの担当者が質的・量的に不足しており、企業年金によるスチュワードシップ・コードの受入れも少ないことの指摘[注1]を背景に、スチュワードシップ・

コードにより明確化されたアセットオーナーの役割を実効化するため、アセットオーナーの母体企業に取組みを期待し[注2]、2018年改訂により、原則2-6が追加された。すなわち、原則2-6は、上場会社に、企業年金の積立金の運用が、従業員の安定的な資産形成に加えて自らの財政状態にも影響を与えることを踏まえ、企業年金が運用（運用機関に対するモニタリング等のスチュワードシップ活動を含む）の専門性を高めてアセットオーナーとして期待される機能を発揮できるよう、運用に当たる適切な資質を持った人材の計画的な登用・配置等の人事面や運営面における取組みを行うとともに、そうした取組みの内容を開示すること、およびその際、上場会社は、企業年金の受益者と会社との間に生じ得る利益相反が適切に管理されるようにすることを求めている。

（注1）金融庁「平成29事務年度金融行政方針」（2017年11月）。なお、企業年金連合会の2015年のアンケート調査では、企業年金のうちスチュワードシップ活動に関心がないとの回答が7割超であった（企業年金連合会「資産運用実態調査（2015年度決算）」）。なお、スチュワードシップ・コードの受入れを表明している運用機関は2020年11月30日付で291機関であるが、企業年金と公的年金を合計した年金基金は、57機関である（コーポレート・ガバナンス白書2021・53頁）。
（注2）フォローアップ会議（第15回）議事録〔小口俊朗メンバー発言〕等参照。

Q66 原則2-6に基づき上場会社には具体的にどのような取組みが求められるか。

●解説　　　　　　　　　　　　　　　　　　　　　　　　　　　原則2-6

　原則2-6は、アセットオーナーの母体企業である上場会社に対して、企業年金が運用（運用機関に対するモニタリングなどのスチュワードシップ活動を含む）の専門性を高めてアセットオーナーとして期待される機能を発揮できるようにするために、①人事面・運用面における取組み、②その内容の開示、および③利益相反の管理の3点を求めている。

　フォローアップ会議第13回においては、①運用の専門性を高めるための人事面・運用面における主な取組みとして、以下の取組みが紹介されている。

- 企業年金の理事の半数は母体企業が選定した代議員の中から互選によって選任することとされているところ、母体企業のIR担当者等を代議員・理事として選任することにより、母体企業側が、企業年金に対して、専門性のある人材を供給
- 代議員・理事に選任された母体企業のIR担当者等が、企業年金と投資先企業・運用機関が対話を行う際に同席
- 具体的な運用方法の決定やリスク管理等について、運用機関任せでなく、企業年金自身において主体的に検討

　その他、フォローアップ会議においては、以下のような対応策も挙げられている(注)。

- 外部専門家の採用（2021年改訂対話ガイドライン4-3-1）
- 運用機関にならった監督機能の導入（独立した委員会等）
- 独立した客観的なガバナンス構築について知見を提供

　他方、小規模基金においてはコスト負担が増加することの懸念や、また母体企業の関与を高めることによる利益相反の懸念も示されている。現状、具体的な実務対応が固まっているものではなく、プリンシプルベースの下、各社に対応が委ねられるものではあるものの、独立性を害しない範囲で、母体である上場会社としては可能な限りのサポートを行うことになろう。

〔図表66〕企業年金の仕組み

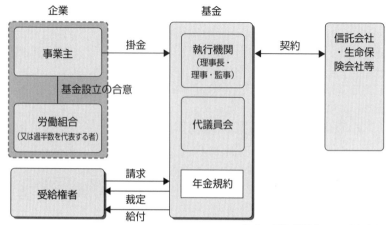

出典：厚生労働省ウェブサイト

（注）2018年コード改訂パブコメ回答288番、289番においても、人事面や運営面における取組みについては、たとえば、適切な資質を持った人材の企業年金の事務局や資産運用委員会への配置、そうした人材の育成、運用受託機関との間で当該機関が実施するスチュワードシップ活動について対話を行う際の必要なサポートなどが考えられるが、これらに限られるものではなく、それぞれの会社の置かれた状況に応じ、適切に取組みを行うとともに、2021年改訂対話ガイドライン4-3-1の趣旨も踏まえ、こうした取組みの内容をわかりやすく開示することが重要であるとされている。

Q67 原則 2-6 に基づく取組みにおいて利益相反の管理として何らかの対応が求められるか。

●解説　　　　　　　　　　　　　　　　　　　　　　　　　原則 2-6

　原則 2-6 は、上場会社に対し、企業年金が運用の専門性を高めてアセットオーナーとして期待される機能を発揮できるよう人事面や運営面における取組みを行う際に、企業年金の受益者と会社との間に生じ得る利益相反が適切に管理されるようにすることを求めている。

　原則 2-6 に基づく取組みにより母体企業と企業年金の関係がより緊密になるということは、メリットになり得る反面、最終的な受益者である企業年金の受給者の最善の利益が実現されない利益相反の可能性を一層高めるという懸念も指摘されており[注1]、そのような利益相反の適切な管理が求められている。

　実態として利益相反の適切な管理がなされている限り、母体企業において、新たなルール策定等の特別な対応は必ずしも求められないと考えられるが、上記のような指摘も踏まえ、2021 年改訂対話ガイドライン 4-3-2 においては、「自社の企業年金の運用に当たり、企業年金に対して、自社の取引先との関係維持の観点から運用委託先を選定することを求めるなどにより、企業年金の適切な運用を妨げていないか。」が取り上げられている点に留意を要する[注2]。

(注 1) フォローアップ会議（第 24 回）議事録〔神作裕之メンバー発言〕。
(注 2) 法律上、基金型確定給付企業年金の事業者（母体企業）の義務として、事業者は自己または加入者等以外の第三者の利益を図る目的をもって、資産管理運用契約を締結すること、積立金の運用に関し特定の方法を指図すること、および特別な利益の提供を受けて契約を締結することをしてはならないとされている（確定給付企業年金法 69 条、確定給付企業年金法施行規則 86 条）。母体企業は、このような利益相反への配慮の下、企業年金の独立性を害しない範囲でスチュワードシップ活動のサポートを行う必要がある。

第4章

基本原則3
「適切な情報開示と透明性の確保」

Q68 経営戦略および経営計画の策定と開示は必要か。

●解説　　　　　　　　　　　　　　　　　　　　　　　　　　原則 3-1(i)

　原則 3-1(i)は、上場会社に対し、会社の目指すところ（経営理念等[注1]）や経営戦略、経営計画を開示することを求めている。経営理念やこれに基づき策定された経営戦略、経営計画は、会社がどのように中長期的な企業価値向上を図っていくのかを理解するための重要な非財務情報であり、上場会社の多くで策定されているものと考えられることから、それらの開示を求めるものである[注2]。このような趣旨からすると、仮に経営戦略や経営計画を策定していない場合には、「策定していない以上はそもそも開示不要（エクスプレインも不要）」と取り扱うことはできず、策定・開示しない理由のエクスプレインが必要となる。

　経営戦略や経営計画は、経営理念に比べると、具体的な戦略や計画を定めることが想定されるが、経営戦略と経営計画を実質的に一体化したものとして策定することも可能であり[注3]、両者をそれぞれ別々に策定・開示することは必須ではない。また、どのような内容の経営戦略や経営計画を策定・開示するかについては各社の合理的判断に委ねられており、例えば経営計画について、詳細な中期経営計画を策定・開示するのか、より抽象的で長期的な計画を策定・開示するのかは、各社が個別事情を踏まえて判断することとなる（後記 Q69 参照）。

　もちろん、営業秘密や取引先等の秘密に該当する事項等、開示が企業価値の毀損につながる事項についてまで開示を求められるわけではない。

　経営計画においてどのような経営指標を用いるかについても、コード上、特に限定されていない[注4]。各社が個別の事情を踏まえて判断していくこととなるが、その際には、投資家側の関心の内容も参考になろう。

　なお、コードにおいては、本原則以外にも、経営戦略や経営計画の開示等に当たって一定の開示や説明を求める規定が存する。例えば、補充原則 3-1③は、経営戦略の開示に当たって、自社のサステナビリティについての取組みを適切に開示するとともに、人的資本や知的財産への投資等についても、自社の経営戦略・経営課題との整合性を意識しつつ分かりやすく具体的に情報を開示・提供すべきとしている。また、原則 5-2 は、経営戦略や経営計画の策定・公表に当たって、自社の資本コストを的確に把握した上で、収益

計画や資本政策の基本的な方針を示すとともに、収益力・資本効率等に関する目標を提示し、その実現のために、事業ポートフォリオの見直しや、設備投資・研究開発費・人材投資等を含む経営資源の配分等に関し具体的に何を実行するのかを説明すべきとしている。加えて、2021年改訂対話ガイドライン 1-3 においては、「ESG や SDGs に対する社会的要請・関心の高まりやデジタルトランスフォーメーションの進展、サイバーセキュリティ対応の必要性、サプライチェーン全体での公正・適正な取引や国際的な経済安全保障を巡る環境変化への対応の必要性等の事業を取り巻く環境の変化が、経営戦略・経営計画等において適切に反映されているか」を確認する旨の記載がある。経営戦略や経営計画の策定や開示に当たっては、これらも踏まえて検討を行う必要がある。

(注1) なお、経営理念とは、具体的な経営戦略・経営計画や会社のさまざまな活動の基本となるものであり、一般に「社訓」や「社是」と呼称されるものもこれに含まれ得る（油布ほか〔Ⅲ〕42頁注24）。
(注2) 油布ほか〔Ⅲ〕36頁。
(注3) 油布ほか〔Ⅲ〕42頁注25。
(注4) 油布ほか〔Ⅳ〕54頁。

Q69　中期経営計画も策定と開示が必要か。

●解説　　　　　　　　　　　　　　　　　　　原則 3-1(i)、補充原則 4-1 ②

　原則 3-1(i)は、経営計画の策定・開示を求めるものであるが、経営計画は、必ずしも中期経営計画に限られない（前記 Q68 参照）。また、補充原則 4-1 ②は、中期経営計画の実現に向けて最善の努力を行うべきこと、および、中期経営計画が目標未達に終わった場合にはその原因の分析・説明等を行うことを求めているが、そもそも中期経営計画を策定しないという経営判断を否定するものではなく、中期経営計画を策定することまでを求めるものではない。したがって、中期経営計画を策定していない場合には、補充原則 4-1 ②は適用されず、エクスプレインをする必要もない[注1]（後記 Q91 参照）。

　もっとも、中期経営計画は、長期的な視点で対話を行うための土台として有益であると投資家側から評価されているところでもあり[注2]、中期経営計画を策定・開示することで本原則をコンプライする例が多い。

　なお、原則 3-1(i)に従い会社が策定・開示している経営計画が、補充原則 4-1 ②にいう中期経営計画に該当するか否かは、計画の名称ではなく実質をもって判断される[注3]。そのため、経営計画の対象期間（目標の達成年限）のほか、経営計画に掲げられた目標が努力目標にとどまるものか、あるいは株主に対するコミットメントであって目標未達の場合には株主に対する説明を行うことが合理的なものか等について、実質的に判断した上で、補充原則 4-1 ②の適用の有無を検討する必要があると考えられる[注4]。

(注1)　金融庁パブコメ回答 8 番、油布ほか〔Ⅲ〕40 頁。
(注2)　伊藤レポート 81 頁等。
(注3)　金融庁パブコメ回答 8 番、油布ほか〔Ⅲ〕40 頁。
(注4)　有識者会議においても、10 カ年といった長期の計画について株主に対するコミットメントといえるのかは疑問である旨が指摘されている（有識者会議（第 6 回）議事録〔内田章メンバー発言〕）。

Q70 コーポレートガバナンスに関する基本的な考え方と基本方針とは何か。

●解説　　　　　　　　　　　　　　　　　　　　　　　　　原則 3-1(ii)

　原則 3-1(ii)は、上場会社に対し、コードの各原則を踏まえた、「コーポレートガバナンスに関する基本的な考え方」と「基本方針」を開示することを求めている。

　ここでいう「コーポレートガバナンスに関する基本的な考え方」は各社のコーポレートガバナンスに関する総論的な考え方を意味する。このような考え方については、従前からガバナンス報告書の記載事項として開示を求められている（ガバナンス報告書記載要領Ⅰ1.）。他方、「基本方針」は、コードの個々の原則に対する大まかな対応方針を意味し(注1)、コードの策定に伴って新たに策定する必要があるものである。ただし、本原則は、補充原則まで含めた 83 の原則について個々に基本方針の記載を求める趣旨ではなく、ある程度グルーピングを行った上で記載することや、各社が重要と考える原則に絞って記載すること等も考えられる(注2)。

　本原則に基づく開示の内容は、ガバナンス報告書のⅠ1.(2)「コーポレートガバナンス・コードの各原則に基づく開示」欄に記載することとなるが、同Ⅰ1.「基本的な考え方」欄に記載した上で、当該記載欄を参照すべき旨を同Ⅰ1.(2)に記載することも許容される(注3)。

(注1) 油布ほか〔Ⅲ〕36 頁。
(注2) 油布ほか〔Ⅲ〕42 頁注 27。
(注3) ガバナンス報告書記載要領の各欄参照。

Q71 基本方針をコーポレートガバナンス・ガイドラインとして規定することの意味は何か。

● 解説　　　　　　　　　　　　　　　　　　　　　　　　原則 3-1(ii)

　コーポレートガバナンスに関する基本方針は、コードの「それぞれの原則を踏まえた」内容である必要があり、コードの各原則に対する会社のポリシーを主体的に発信することが求められている。形式はさまざまなものが考えられるものの、コーポレートガバナンス・ガイドライン(注1)といった形で基本方針を策定・開示し、これによりコードの各原則について一定程度まとめて実施する例も少なくない(注2)。

　会社側にとって、基本方針をコーポレートガバナンス・ガイドラインとして規定することは、原則 3-1(ii)への対応それ自体に加えて、①コードに対する会社の積極的・主体的な姿勢を示す1つの手法となり得る点、②コードの各原則の順番や分類、内容等に縛られずに、自社のポリシーを各々の論理で説明することができる点、③コードの各原則について個別に取締役会で審議するのではなく、統合して審議し、また変更の要否を管理することができる点、④ガイドラインを英訳することにより、自社の考え方についてまとめて英語での説明が可能となる点等のメリットがある。

　他方、投資家側にとっても、会社の基本方針がまとめて説明されることにより、当該会社のコーポレートガバナンスの全体像についての理解が容易となる側面がある。とりわけ海外の投資家にとっては、NYSE Listed Company Manual がコーポレートガバナンス・ガイドラインの策定および開示を義務づけていることもあり（NYSE Listed Company Manual 303A.09）、このような形での基本方針の開示に馴染みやすいものと考えられる。このような海外投資家への説明の実効性をより高める観点からは、コーポレートガバナンス・ガイドラインの英訳を作成・公表することも検討に値しよう（上記④参照）。

(注1) 名称は、「コーポレートガバナンス・ガイドライン」のほか、「コーポレートガバナンス原則」や「コーポレートガバナンス方針」等、さまざまなものがある。
(注2) コーポレートガバナンス・ガイドラインの活用に関しては、新しいスタンダード 341頁以下〔Kaye N. Yoshino 弁護士、内田修平弁護士、髙田洋輔弁護士発言〕を参照。

Q72　経営陣幹部や取締役の指名・報酬の決定についてコードは何を求めているか。

●解説　　原則 3-1⒤、3-1⒤、補充原則 4-3①、4-10①

　原則 3-1⒤、⒤は、「取締役会が経営陣幹部・取締役の報酬を決定するに当たっての方針と手続」および「取締役会が経営陣幹部の選解任と取締役・監査役候補の指名を行うに当たっての方針と手続」を開示することを求めている。また、補充原則 4-3①は、経営陣幹部の選任や解任について、公正かつ透明性の高い手続に従い、適切に実行すべきものとし、補充原則 4-10①は、経営陣幹部・取締役の指名・報酬などについて独立した指名委員会・報酬委員会の適切な関与・助言を得るべきとしている。

　従来、わが国において、とりわけ役員の指名については、社長・会長といった経営トップの専権事項とされている例が多く、役員報酬についても、株主総会決議の枠内での具体的決定は取締役会決議により社長に一任されることも多かった。

　しかし、コードにおいては、取締役会の責務・役割として、経営陣幹部による適切なリスクテイクを支える環境整備や経営陣に対する実効性の高い監督が強調され（基本原則 4⑵、⑶）、各原則においても、随所で、経営陣の指名・報酬の決定手続における取締役会の役割への言及がなされている（原則 4-2、4-3 等）。そして、前記のとおり、経営陣幹部や取締役の指名・報酬について、取締役会による決定に係る方針・手続の策定・開示を要するものとされ（注）、独立した指名委員会・報酬委員会の関与等を含めた公正かつ透明性の高い手続による決定が求められている。役員の指名・報酬は、コーポレートガバナンスの中核的事項であり、株主・投資家の関心も高い。したがって、前記の各原則をコンプライする場合には、経営陣幹部や取締役の指名・報酬について、社長の専権事項と位置づけ、取締役会で十分な審議をしないという選択をすることは困難である。

　もっとも、このことは、経営陣幹部や取締役の指名・報酬について、経営トップの関与が一切認められないことまでを意味するものではない。指名・報酬の決定には、各候補者の能力・パフォーマンスの評価が不可欠であり、経営トップによる評価が有用であるとも考えられる。たとえば、取締役会に付議する原案の作成は社長が行うこととしつつ、独立した指名委員会・報酬

委員会や取締役会においては、独立社外取締役が社長から趣旨等の十分な説明を受けながら原案の妥当性を確認するといった運用も考えられる。

(注) 原則3-1(iii)は、方針と手続を定めていない場合には、それらを策定することまで求める趣旨であるとされており（油布ほか〔Ⅲ〕36頁）、(iv)も同様と考えられる。

Q73 役員報酬の決定の方針と手続とはどのようなものか。

●解説　　　　　　　　　　　　　　　　　　　　　　　　　原則 3-1(iii)

　原則 3-1(iii)は、報酬に係る意思決定の透明性・公正性を確保する観点から、取締役会が経営陣幹部・取締役の報酬を決定するに当たっての方針と手続をそれぞれ開示することを求めている。

　報酬決定の「方針」としては、たとえば、報酬等の総額や種類（固定報酬・業績連動報酬・株式報酬・賞与等の構成や退職慰労金の有無・内容等）について触れることが考えられる。

　他方、報酬決定に係る「手続」としては、各社における報酬に係る取締役会等の意思決定プロセスを開示することになる。報酬の決定の手続において意思決定の透明性・公正性を確保する仕組みとしては、独立した報酬委員会を設置すること（補充原則 4-10①参照）、独立社外取締役の意見を聴取し反映すること、外部専門家の助言を得ること等が考えられる。独立した報酬委員会を設置する場合には、報酬委員会の構成（人数、委員の属性、議長の属性等）、権限（報酬原案を報酬委員会が決定するか否か等）、審議の方法（決議要件等）等を開示することが考えられる。また、補充原則 4-2①においては、経営陣の報酬制度の設計や具体的な報酬額の決定について客観性・透明性ある手続に従うことが求められている（後記Q94を参照）。

　なお、令和元年改正会社法により、指名委員会等設置会社でない上場会社等の取締役会にも取締役の個人別の報酬の決定方針の決定が義務づけられ（会社法 361 条 7 項）、併せて事業報告における役員報酬に関する開示の充実も図られたことから（会社法施行規則 121 条 6 号）、これらの方針や開示内容との平仄に留意する必要がある。

> **Q74** 役員指名・選解任の方針と手続とはどのようなものか。

●解説　　　　　　　　　　　　　　　　　　　　　　　　　　　　原則3-1(iv)

　原則3-1(iv)は、役員の指名・選解任に係る意思決定の透明性・公正性を確保する観点から、取締役会が経営陣幹部の選解任と取締役・監査役候補の指名を行うに当たっての方針と手続をそれぞれ開示することを求めている。

　指名・選解任に係る「方針」としては、たとえば、候補者選定に当たっての考慮要素、社外役員の独立性の判断基準、解任を検討する場合の基準・考慮要素等について言及することが考えられる。この点、社外役員の独立性の判断基準については、原則4-9においても策定・開示が求められているが、本原則は、社外役員以外の取締役および監査役の指名ならびに経営陣幹部の選解任の方針についても開示を求めるものである。

　経営陣幹部の選解任の方針は、補充原則4-1③における最高経営責任者（CEO）等の後継者計画にも関連するものであり、取締役および監査役候補の指名の方針とは別に方針が策定されることも想定され得るところである。なお、経営陣幹部の選解任の方針の策定に当たっては、補充原則4-3①が、経営陣幹部の選任や解任について会社の業績等の評価を踏まえることを求めている点にも留意する必要がある。

　また、補充原則4-11①では、取締役会の全体としての知識・経験・能力のバランス、多様性および規模に関する考え方を定め、いわゆるスキル・マトリックスをはじめとする適切な形で取締役の有するスキル等の組み合わせを原則3-1(iv)の方針・手続と併せて開示することが求められているところ、ここでいうバランス・多様性・規模に関する考え方等を、原則3-1(iv)の取締役の指名の方針と一体のものとして開示することも考えられる[注1]。

　なお、監査役については、原則4-11が、適切な経験・能力および必要な財務・会計・法務に関する知識を有する者を選任し、特に、財務・会計に関する十分な知見を有している者を1名以上選任することを求めている点に留意する必要がある[注2]。

　指名・選任に係る「手続」としては、報酬決定に係る手続と同様、各社における取締役会等の意思決定プロセスを開示することになるところ、公正かつ透明性の高い手続（補充原則4-3①）として、独立した指名委員会を設置することのほか、独立社外取締役の意見を反映する手続や外部専門家の助言

を得る手続等を開示することが考えられる。たとえば、独立した指名委員会を設置する場合には、諮問委員会の構成（人数、委員の属性、議長の属性等）、権限（候補者案を指名委員会が決定するか否か等）、審議の方法（決議要件等）等を開示することが考えられる。

(注1) 油布ほか〔Ⅳ〕56頁注54。
(注2) 「財務・会計に関する十分な知見」を有する者の意義は、コードの2018年改訂前（「財務・会計に関する適切な知見」を有する者）から変わるものではなく、会計監査人に監査を適切に実施させ、その監査の方法・結果の相当性を判断する際に役立つものであることが必要とされ、公認会計士等の資格を有する場合に限定されず、会社実務で経験を積んでいる場合等も含まれると考えられる（2018年コード改訂パブコメ回答191〜195番）。

Q75 経営陣幹部・役員候補の個々の選解任・指名についての説明とはどのようなものか。

●解説　　　　　　　　　　　　　　　　　　　　　　　　　　原則 3-1(v)

　原則 3-1(v)は、取締役会が経営陣幹部の選解任と取締役・監査役候補の指名を行う際の、個々の選解任・指名についての説明を開示すべきとしている。

　従来、わが国では、経営陣幹部や役員候補の選任・指名過程については、対外的に公表することを差し控える傾向があった。しかし、役員候補について株主総会参考書類に名前と経歴のみが記載されても株主は議案の是非を判断しかねるという意見も存することを踏まえ[注1]、本原則は、取締役会が原則 3-1(iv)に基づいて開示された方針と手続に則って経営陣幹部や取締役・監査役候補を選解任・指名する際の個々の選解任・指名についての説明を開示することを求めている。

　なお、会社法上、社外取締役・社外監査役については、その選任議案に係る株主総会参考書類において、候補者とした理由の記載が必要とされている（会社法施行規則74条4項2号、74条の3第4項2号、76条4項2号）が、それ以外の取締役・監査役については、そのような理由の記載は求められていない。もっとも、多くの会社で、社外役員以外の役員候補についても候補者とした理由を株主総会参考書類に任意に記載する実務が定着しているところ[注2]、この記載を参照方式でガバナンス報告書に引用することも可能である[注3]。そもそも、取締役・監査役候補の個々の指名についての説明は、株主総会における取締役・監査役の選任議案について株主が賛否を検討するに当たっての重要な情報であるため、定時株主総会後に提出されるガバナンス報告書におけるよりも前の段階で開示することがより望ましいとも考えられる。

(注1) 有識者会議（第6回）議事録〔小口俊朗メンバー発言〕。
(注2) 株主総会白書2020年版89頁および91頁によれば、「社外でない取締役・監査役候補者の個々の選解任・指名理由に関する事項」について、事業報告または株主総会参考書類に記載したと回答した会社は、回答会社全体の59.6%（951社）とされている。
(注3) 油布ほか〔Ⅲ〕43頁注30。

Q76 社内取締役および社内監査役の個々の候補者の指名についての説明に際して留意すべき事項は何か。

●解説　　　　　　　　　　　　　　　　　　　　　　　　　　原則 3-1(v)

　原則 3-1(v)は、社内取締役および社内監査役を含めたすべての取締役・監査役の候補者の指名について、個々の候補者ごとに説明することを求めている。説明内容としては、個々の候補者について、①経歴、②実績、③人格識見等に言及することが考えられる。もっとも、最高経営責任者等については、特筆すべき②実績や③人格識見により選任・指名されるケースが多いことが想定されるのに対し、それ以外の社内取締役および社内監査役については、②実績および③人格識見についてはある程度一般的な記載にとどまらざるを得ない場合もあり、その場合には、①経歴の記載を中心として個々の指名の理由を説明することになろう。その他、原則 4-11 の趣旨を踏まえ、ジェンダーや国際性、職歴、年齢の面を含む多様性の観点を盛り込むことや、補充原則 4-11 ①において言及される取締役のスキル等の組み合わせを意識することも考えられる。

　前記 Q75 のとおり、開示の方法としては、ガバナンス報告書への記載が求められるが、社内取締役および社内監査役についても、候補者とした理由を株主総会参考書類に記載した上で、ガバナンス報告書ではこれを参照することも考えられる。

　なお、本原則は「指名を行う際の」理由の説明を求めており、改選期にない取締役・監査役まで対象とするかについては各社の合理的な判断に委ねられると考えられるが、改選期にない取締役・監査役であっても、過去の選任時における候補者としての指名の理由について株主等から説明を求められることも考えられるため、説明内容を検討しておくことが望ましいと思われる。

Q77 「法令に基づく開示」として、コードは何を想定しているか。

●解説　　　　　　　　　　　　　　　　　　　　　　　　　　　補充原則 3-1 ①

　補充原則 3-1 ①は、ひな型的な記載等を避けるべき場面として、「法令に基づく開示」も含まれる旨を明記している。かかる記載は、2018 年コード改訂パブコメにおいて追加されたものであるが、主として、有価証券報告書における政策保有株式（保有目的が純投資目的以外の目的である投資株式）に係る開示（企業内容等の開示に関する内閣府令第 3 号様式記載上の注意（39）、第 2 号様式記載上の注意（58））についても、「ひな型的な記述や具体性を欠く記載を避け、利用者にとって付加価値の高い記載となるようにすべきである」とする本補充原則の内容が尊重されることを意図したものである(注1)(注2)。

(注1) フォローアップ会議（第 15 回）議事録〔上田亮子メンバー発言〕。
(注2) 有価証券報告書における政策保有株式に係る開示について、金融庁企画市場局「平成 31 年度 有価証券報告書レビューの審査結果及び審査結果を踏まえた留意すべき事項」（2020 年 3 月 27 日）18 ～ 26 頁が参考となるものと思われる。

Q78 英語での情報開示・提供について、どのように対応すべきか。

●解説　　　　　　　　　　　　　　　　　　　　　　　　補充原則 3-1 ②

　補充原則 3-1 ②前段は、上場会社は、自社の株主における海外投資家等の比率も踏まえ、合理的な範囲において、英語での情報の開示・提供を進めるべきであるとしている。これは、英文での情報開示について、各上場会社の実情を踏まえた合理的な対応を期待するものである。

　他方、2021 年改訂コードにおいて追加された補充原則 3-1 ②後段においては、特に、プライム市場上場会社は、開示書類のうち必要とされる情報について、英語での開示・提供を行うべきとされている。プライム市場上場会社については、わが国を代表する投資対象として優良な企業が集まる市場にふさわしいガバナンスの水準を求めていく必要があるとの指摘を踏まえ、英文開示について、より積極的な取組みを求めるものである[注1]。

　補充原則 3-1 ②後段における英文開示・提供の対象は、「開示書類のうち必要とされる情報」とされているが、その範囲は、各社において、上記の趣旨に鑑み、投資家のニーズ等も踏まえつつ適切に判断することが期待されている[注2]。この点、フォローアップ会議においては、決算短信や株主総会参考書類のほか、有価証券報告書について言及されており[注3]、一定程度参考になるが、必ずしもそれらの全てについて英訳の開示が求められるわけでないと考えられる。

　ただし、前段・後段いずれの場合でも、英文での情報開示を一切行わない場合には、その理由を十分に説明（エクスプレイン）する必要があるとされている[注4]。

　なお、2021 年のコード改訂の議論の過程で金融庁が作成した資料によれば、各開示書類の英訳の割合は下表のとおりである。

(5) 英文開示

□ コーポレートガバナンス・コードの補充原則1−2④と3−1②は、英文開示を「進めるべき」としている。
□ 東証一部上場会社では、開示書類の一部を英文開示している例が半数以上。他方で、有価証券報告書の英文開示を行う会社は少数に留まっている。

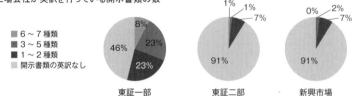

上場会社が英訳を行っている開示書類の数

- 6〜7種類
- 3〜5種類
- 1〜2種類
- 開示書類の英訳なし

各開示書類の英訳の割合

	決算短信	重要事実の適時開示	招集通知・参考書類	事業報告・計算書類	コーポレートガバナンスに関する報告書	有価証券報告書	IR資料
東証一部	43.1%	23.9%	40.0%	13.7%	13.8%	3.0%	35.5%
東証二部	6.4%	1.9%	4.1%	0.8%	1.0%	0.2%	2.9%
新興市場	7.5%	2.4%	1.9%	0.6%	0.8%	0.3%	4.7%
全市場	28.4%	15.0%	24.7%	8.4%	8.5%	1.9%	22.7%

(出所) 日本取引所グループ「英文開示実施状況一覧」より金融庁作成

また、英文開示の実施状況については、東証による集計レポート(注5)も参照されたい。

(注1) 2021年コード改訂パブコメ回答535番。
(注2) 2021年コード改訂パブコメ回答534番。
(注3) フォローアップ会議(第22回)議事録〔小林喜光メンバー発言、武井一浩メンバー発言〕。
(注4) 2021年コード改訂パブコメ回答535番。
(注5) 株式会社東京証券取引所 上場部「英文開示実施状況調査集計レポート(2020年12月末時点)」(2021年3月5日)(https://www.jpx.co.jp/equities/listed-co/disclosure-gate/availability/nlsgeu000005bs32-att/nlsgeu000005bwkv.pdf)

Q79 サステナビリティについての取組みや人的資本・知的財産への投資について、どのように開示すべきか。TCFD開示についてはどうか。

●解説　　　　　　　　　　　　　　　　　　　　　　　　　補充原則3-1③

　2021年改訂コードにおいて新設された補充原則3-1③は、その前段第1文において、上場会社は、経営戦略の開示に当たって、自社のサステナビリティについての取組みを適切に開示すべきであるとしている。これは、サステナビリティへの取組みを検討・推進するため、投資家と企業の間のサステナビリティに関する建設的な対話を促進する観点からは、サステナビリティに関する開示が行われることが重要であることを踏まえたものである(注1)。サステナビリティに関する開示については、GRIスタンダード、SASBスタンダード、国際統合報告書フレームワーク等、国際的に様々な枠組みが林立している状況にあるが、必ずしもそれらを参照することが求められているわけではなく、本補充原則に基づく具体的な開示の内容は、各社において、各社の事業を取り巻く環境等を踏まえ判断していくことになる(注2)。その検討に際しては、2021年3月22日付金融庁「記述情報の開示の好事例集2020」やJPXグループが提供するJPX ESG Knowledge Hubにおける情報、2020年3月に公表された「ESG情報開示実践ハンドブック」等を参照することも考えられる(注3)(注4)。

　補充原則3-1③前段第1文において開示が求められるのは、サステナビリティについての取組みそのものであるが、その前提として取締役会が策定すべきとされる基本的な方針（補充原則4-2②）と併せて開示することも合理的と考えられる。「開示」が求められており、ガバナンス報告書への記載が必要とされるが（前記Q15参照）、実務上は、自社のウェブサイトや統合報告書、サステナビリティレポート等の開示資料に記載した上で、その内容を参照する形で対応することも考えられる。また、最近は、有価証券報告書において、サステナビリティに関する事項を任意に記載する例もみられるようになっている(注5)(注6)。ガバナンス報告書記載要領Ⅰ1.(2)においては、このように他の開示場所を参照すべき旨およびその閲覧方法を記載する方法とする場合も含め、開示において参照した枠組み等があるときは、その名称について記載することが望まれるとされている。また、こうした開示においては、投資家等関係者にとって分かりやすいものとなるよう、目標に向けた進

捗がわかるような開示をすることも有益と考えられている(注7)。

　次に、補充原則3-1③前段第2文は、人的資本や知的財産への投資等についても、自社の経営戦略・経営課題との整合性を意識しつつ分かりやすく具体的に情報を開示・提供すべきであるとしている。補充原則4-2②において、人的資本・知的財産への投資等の重要性に鑑み、これらをはじめとする経営資源の配分や、事業ポートフォリオに関する戦略の実行が、企業の持続的な成長に資するよう、（取締役会が）実効的に監督を行うべきものとされていることを踏まえたものである。持続的な成長や企業価値の向上の観点からの人的資本への投資の重要性や、国際競争力の強化という観点からの知的財産の重要性についての指摘を踏まえ、各社ごとに、経営戦略等に応じて取り組むべき内容を適切に開示が求められるが(注8)、例えば人的資本の開示に当たっては、国際標準である「ISO30414」を活用することも考えられる(注9)。なお、本原則にいう「知的財産」とは、知財権（特許、意匠、商標等）に限られず、技術・データ・ノウハウ、ブランドなど幅広い無形資産を含むものと考えられている(注10)。

　補充原則3-1③前段第2文の文言は「開示・提供すべき」とされており、ガバナンス報告書における記載が必要な「開示」を求める趣旨かどうか、文言上は必ずしも明らかではない。もっとも、「・提供」が追加されているとはいえ、「開示……すべき」とされている以上、ガバナンス報告書における記載が必要と考えるのが合理的である(注11)。

　さらに、補充原則3-1③後段は、特に、プライム市場上場会社(注12)は、気候変動に係るリスクおよび収益機会が自社の事業活動や収益等に与える影響について、必要なデータの収集と分析を行い、国際的に確立された開示の枠組みであるTCFDまたはそれと同等の枠組みに基づく開示の質と量の充実を進めるべきであるとされている。そして、ガバナンス報告書記載要領Ⅰ1.(2)は、このような気候変動に関する開示の実施状況については、TCFD提言の項目ごとの開示の有無や、シナリオ分析を行っている場合にはその旨を記載することが考えられるとしている。IFRS財団におけるサステナビリティ開示の統一的な枠組みがTCFDの枠組みにも拠りつつ策定された場合には、これがTCFD提言と同等の枠組みに該当するものとなることが期待されている(注13)。

(注1) 2021年改訂提言Ⅱ.3.参照。
(注2) 2021年コード改訂パブコメ回答364番。
(注3) 2021年コード改訂パブコメ回答342番。
(注4) 例えば、サステナビリティを巡る課題の一つである「人権の尊重」に関する開示に当たっては、国連人権理事会の「ビジネスと人権に関する指導原則」など、国際的・国内的に認められた規範を活用することも考えられる（2021年コード改訂パブコメ回答375番）。
(注5) 2021年3月22日付金融庁「記述情報の開示の好事例集2020」の「個別事項に関する開示例　2.『ESG』に関する開示例」参照。
(注6) 有価証券報告書を含む法定開示書類における開示責任について、宮田俊「ESGと開示」商事法務2257号（2021）19～21頁参照。
(注7) 2021年コード改訂パブコメ回答305番。
(注8) 2021年コード改訂パブコメ回答371番、372番。
(注9) 2021年コード改訂パブコメ回答380番。
(注10) 内閣府 知的財産戦略推進事務局「知的財産の投資・活用促進」（2021年4月16日）7頁。
(注11) ガバナンス報告書記載要領Ⅰ1.(2)においても、「人的資本、知的財産への投資等」が開示項目として挙げられている。
(注12) 企業負担等を鑑み、プライム市場上場会社が対象とされているが、その他の市場の上場会社においても、プライム市場上場会社向けのガバナンス項目を参照しつつ、ガバナンス向上に向けた取組みを進めることが望ましいとされている（2021年コード改訂パブコメ回答341番）。
(注13) 2021年改訂提言Ⅱ.3.参照。

Q80 外部会計監査人を評価するための基準とはどのようなものか。

●解説　　　　　　　　　　　　　　　　　　　原則3-2、補充原則3-2①(i)

　原則3-2は、外部会計監査人および上場会社が外部会計監査人の責務を認識し、適正な監査の確保に向けて適切な対応を行うべきとし、それを受けた補充原則3-2①(i)は、監査役会に、外部会計監査人候補を適切に選定し外部会計監査人を適切に評価するための基準の策定を求めている。

　本補充原則は、外部会計監査人が、上場会社が開示する情報の信頼性について、その利用者である株主等に対する責務を負っていると考えられること(注1)を踏まえ、適正な監査の確保を目的として、外部会計監査人の選解任のプロセスに客観性を求めるものである(注2)。

　平成26年会社法改正により、監査役会設置会社においては、株主総会に提出する会計監査人の選任、解任および不再任に関する議案の内容は監査役会が決定することとされたこと（会社法344条3項・1項）を踏まえ、本補充原則の名宛人は、監査役会とされている(注3)。監査役会が、会計監査人の選解任等に関する議案の内容の決定を行うに当たって考慮する要素と、本補充原則の評価基準とは、多くの点で重複することが考えられる。なお、会計監査人の選解任等に関する議案の内容の決定を行う場合の対応(注4)や、会計監査人を適切に評価するための基準(注5)については、日本監査役協会が指針を公表している。会計監査人を適切に評価するための基準としては、監査法人の品質管理の適切性の有無、監査チームの独立性や専門性の有無、監査報酬の内容や水準の適切性の有無、監査役、経営者、内部監査部門や海外のネットワーク・ファームの監査人とのコミュニケーションの適切性の有無、不正リスクへの十分な配慮、適切な評価、不正の兆候に対する適切な対応の有無等が項目として挙げられている。

　また、日本公認会計士協会も、本原則や前述した平成26年会社法改正を契機として、監査品質に影響を及ぼす要因をとりまとめた研究報告を公表している(注6)。

　以上のほかにも、外部監査人の外部評価の枠組みである、公認会計士・監査審査会の審査・検査の結果や、日本公認会計士協会の品質管理レビューの結果についても、本原則への対応に際して利用の是非を検討すべきであろう。

(注1) 有識者会議（第4回）議事録〔森公高メンバー発言〕。
(注2) 油布ほか〔Ⅲ〕37頁。
(注3) その趣旨を踏まえると、「監査役会」は、上場会社の機関設計に応じて、それぞれ「監査等委員会」または「監査委員会」に読み替えられるべきである（会社法399条の2第3項2号、404条2項2号参照）。
(注4) 日本監査役協会会計委員会「会計監査人の選解任等に関する議案の内容の決定権行使に関する監査役の対応指針」（2015年3月5日）。
(注5) 日本監査役協会会計委員会「会計監査人の評価及び選定基準策定に関する監査役等の実務指針」（2017年10月13日改正）。
(注6) 日本公認会計士協会監査基準委員会「監査基準委員会研究報告第4号 監査品質の枠組み」（2015年5月29日）。

Q81 外部会計監査人を評価するための基準と事業報告に記載する会計監査人の解任・不再任の決定方針との関係はどのようなものか。

●解説　　　　　　　　　　　　　　　　　　　　　　　　補充原則 3-2 ①(i)

　事業報告においては、会計監査人の解任または不再任の決定の方針（以下「決定方針」という）の記載が必要とされている（会社法施行規則 126 条 4 号）。会計監査人の選解任等に関する議案の決定が監査役会の権限とされた結果、決定方針の策定も、監査役会が行うことになると考えられ(注1)、かかる決定方針は、補充原則 3-2 ①(i)に基づいて策定する基準の一部を構成し得る(注2)。

　決定方針においては、会社法 340 条 1 項各号に定める法定の解任事由に該当する場合に会計監査人を解任する旨や、一定の事由により適正に監査業務を遂行することができない事態が生じた場合に会計監査人の解任または不再任に関する議案を株主総会に提出する旨を記載する例が現実には多いが、補充原則 3-2 ①(i)においては、このような、いかなる場合に解任または解任・不再任議案の提出を行うかについての方針のみならず、その判断の前提となる評価に当たっての考慮要素等を記載することも考えられよう。

　なお、会計監査人を適切に選定するための基準(注3)については、日本監査役協会が指針を公表しており、監査法人の概要、品質管理体制の内容、監査法人の独立性や欠格事由への該当性、監査計画の内容、監査チームの編成、監査報酬見積額の適切性の有無等が項目として挙げられている。

（注1）日本監査役協会会計委員会「会計監査人の選解任等に関する議案の内容の決定権行使に関する監査役の対応指針」（2015 年 3 月 5 日）第 3・2(5)②。
（注2）油布ほか〔Ⅲ〕43 頁注 31。
（注3）日本監査役協会会計委員会「会計監査人の評価及び選定基準策定に関する監査役等の実務指針」（2017 年 10 月 13 日改正）。

Q82 外部会計監査人の独立性と専門性の確認はどのようにするのか。

●解説　　　　　　　　　　　　　　　　　　　　　　補充原則 3-2 ①(ii)

　補充原則 3-2 ①(ii)は、監査役会に対し、外部会計監査人に求められる独立性と専門性を有しているか否かについての確認をすべきであるとする。

　前記 Q80 のとおり、平成 26 年会社法改正により、監査役会設置会社においては、株主総会に提出する会計監査人の選任、解任および不再任に関する議案の内容は監査役会が決定することとされた（会社法 344 条 3 項・1 項）。このことで、そのような権限を持つ監査役会の職責として、会計監査人としての独立性、専門性や監査法人の品質管理体制等について考慮した上で、どの監査法人・公認会計士を会計監査人の候補者とするか、あるいは再任が適切か否かを主体的に判断することが求められることになった。

　日本監査役協会が策定した「会計監査人の評価及び選定基準策定に関する監査役等の実務指針」（2017 年 10 月 13 日改正）においては、監査役会が、会計監査人の選定基準を策定する際の実務指針として、会計監査人（監査法人）に求められる独立性と専門性を判断する際に考慮すべき重要な事項が挙げられていることから、コード対応との関係でも参考になると思われる。

Q83 外部会計監査人について、取締役会および監査役会は何をしなければならないか。

● 解説 　　　　　　　　　　　　　　　　　　　　　　補充原則 3-2 ②

　補充原則 3-2 ②は、外部会計監査人による適正な監査の確保に向けて適切な対応を行うことを求める原則 3-2 を受けて、取締役会および監査役会は、少なくとも下記の対応を行うべきであるとする。
 (ⅰ) 高品質な監査を可能とする十分な監査時間の確保
 (ⅱ) 外部会計監査人から CEO・CFO 等の経営陣幹部へのアクセス（面談等）の確保
 (ⅲ) 外部会計監査人と監査役（監査役会への出席を含む）、内部監査部門や社外取締役との十分な連携の確保
 (ⅳ) 外部会計監査人が不正を発見し適切な対応を求めた場合や、不備・問題点を指摘した場合の会社側の対応体制の確立

　上記(ⅲ)に関し、外部会計監査人と監査役会との連携の重要性は昔から指摘されている点であるが、近時は、いわゆる KAM（監査上の主要な検討事項：Key Audit Matters）の導入により、監査役は会計監査人とともに KAM の項目を決定する役割を担っていくべき旨の指摘もなされている。これを踏まえて、2021 年改訂対話ガイドライン 3-11 は、監査役は、「監査上の主要な検討事項の検討プロセスにおける外部会計監査人との協議を含め、」適正な会計監査の確保に向けた実効的な対応を行っているかという点を取り上げている(注)。

　社外取締役と会計監査人の連携の確保については、たとえば、社外者のみを構成員とする会合に、会計監査人の出席を求め、意見交換するようなことが考えられる。また、有事、すなわち社外取締役が、不祥事が発生した場合ないしその兆候を知った場合には、正確な情報を把握するために、内部監査部門、監査役（会）、会計監査人等が有する情報を適時に把握できるように、緊密なコミュニケーションをとる必要があるとし、会社の対応が不十分であると思われる場合には、取締役会で発言するだけでなく、監査役（会）、会計監査人と必要な連携をとることが考えられる。

　取締役会および監査役会としては、上記のような監査役や社外取締役に求められている役割も踏まえながら、上記の(ⅰ)ないし(ⅳ)の対応を行う必要があ

ると考えられる。

───────────

(注) 島崎ほか15頁。

Q84 外部会計監査人を監査役会に出席させなければならないのか。

●解説　　　　　　　　　　　　　　　　　　　　　　　　　補充原則 3-2 ② (ⅲ)

　補充原則 3-2 ②(ⅲ)は、外部会計監査人と監査役との十分な連携の確保を定めるが、その中で、「(監査役会への出席を含む)」と括弧書で付記している。

　しかし、監査役会への出席は、あくまでも「十分な連携」の方法の例示にすぎないのであって、外部会計監査人を監査役会に出席させることが必須というわけではないと考えられる。

　まず、会計監査人の監査の対象は株式会社の計算関係書類であるところ（会社法 396 条 1 項）、会計監査人設置会社の監査役の監査の対象は会計監査に限定されないこと（同法 381 条 1 項、389 条 1 項参照）からすれば、会計監査のみを担う会計監査人が監査役会に出席することが必ずしも適正な監査の確保に必要というわけではない。

　さらに、株主総会に提出する会計監査人の選任・解任・不再任に関する議案の内容は監査役会が決定するのであって（会社法 344 条 3 項・1 項）、当該議案決定権の行使に際して監査役会が現任の会計監査人の監査活動の適切性・妥当性を評価することに照らせば、当該監査役会に常に会計監査人の出席が求められると解するのは合理的ではない。監査役会への外部会計監査人の出席は、監査役会からの要請に基づき、適正な監査（通常は会計監査が中心となろう）のために必要な範囲で行うのが相当であると考えられる。

第5章

基本原則4
「取締役会等の責務」

Q85 取締役会の責務はコードではどう整理されているのか。

●解説　　　　　　　　　　　　　　　　　　　　　原則 4-1 〜 4-3

　原則 4-1〜原則 4-3 は、取締役会の役割・責務を整理するものである。

　基本原則 4 は、取締役会の役割・責務として、(1)企業戦略等の大きな方向性を示すこと、(2)経営陣幹部による適切なリスクテイクを支える環境整備を行うこと、および、(3)独立した客観的な立場から、経営陣（執行役およびいわゆる執行役員を含む）・取締役に対する実効性の高い監督を行うことを強調している。そして、原則 4-1〜原則 4-3 は、これらをそれぞれ敷衍して、取締役会に期待される主要な役割・責務を明確にするものと位置づけられている[注]。

　おおまかにいえば、これらの各原則は、(a)原則 4-1 が、経営理念等、経営戦略、経営計画等（原則 3-1(i)参照）の議論による「戦略的な方向付け」を、(b)原則 4-2 が、経営陣幹部による意思決定の支援や経営陣の報酬の設定を通じた「適切なリスクテイク」を支えることを、また、(c)原則 4-3 が、業績等の評価を通じた経営陣幹部の人事の決定、内部統制・リスク管理体制の整備およびその構築・運用の監督等による「実効性の高い監督」を、それぞれ求めている。

（注）油布ほか〔Ⅲ〕39 頁。

Q86 コードは特定の機関設計を推奨しているのか。

●解説

　コードは、上場会社に特定の機関設計の採用を推奨するものではない。

　このことは、コード原案序文14項が「我が国の上場会社は、通常、監査役会設置会社、指名委員会等設置会社、監査等委員会設置会社のいずれかの機関設計を選択することとされている。本コード（原案）は、もとよりいずれかの機関設計を慫慂するものではなく、いずれの機関設計を採用する会社にも当てはまる、コーポレートガバナンスにおける主要な原則を示すものである」としていることからも明らかである。

　むしろ、コードの各原則は、機関設計にかかわらず適用され（たとえば、基本原則4参照）、特定の機関設計を想定した文言で定められている原則についても、所要の読替えを行った上で適用することが想定されている（前記Q19参照）。

Q87 コードはモニタリング・モデルを推奨しているのか。

●解説

　取締役会のあり方については、業務執行に関する意思決定の機能を重視する「マネジメント・ボード」の考え方に加え、これと対比されるものとして、意思決定よりもむしろ業務執行者に対する監督を重視する「モニタリング・モデル」の考え方が存するところである。コードの各原則において定められる取締役会の役割・責務は、軽重の差異はあっても、これらいずれの取締役会のスタイルにおいても妥当し得る内容である。

　たしかに、各原則の中には、モニタリング・モデルに馴染みやすいと考えられるものも見受けられる。たとえば、基本原則4およびこれを受けた原則4-3は、経営陣・取締役に対する実効性の高い監督を求めており、「取締役会による独立かつ客観的な経営の監督の実効性」の確保に言及する原則4-6や、独立社外取締役の有効な活用等を求める原則4-8～原則4-10も、モニタリング・モデルに馴染みやすいものといえる。

　もっとも、マネジメント・ボードの考え方の下でも、取締役会の監督機能の重要性が否定されるわけではなく、監督機能に言及するコードの各原則の考え方は、必ずしもマネジメント・ボードの考え方と相反するものではない。また、コードの原則の中には、必ずしもモニタリング・モデルから直接導かれるものではないと考えられる原則もある。たとえば、原則4-7(i)は、独立社外取締役の役割・責務として、最初に経営の方針や経営改善についての助言を掲げているところ[注1]、このような助言は、モニタリング・モデルでも否定はされないが、少なくとも、モニタリング・モデルが念頭に置く独立社外取締役の役割の中で最初に記載されるべきものではない。

　加えて、コードは、取締役会のあり方と密接に関連する会社法上の機関設計[注2]についても、そのいずれかを慫慂するものではないとされ（コード原案序文14項）、また、取締役会の役割・責務も、機関設計を問わず等しく適切に果たされるべきものとしている（基本原則4）。

　以上からすれば、コードは、必ずしも、モニタリング・モデルを含む特定の取締役会のあり方を推奨しているとはいえないと考えられる。

(注1) 油布ほか〔Ⅳ〕47頁では、助言が最初に記載されていることに意義がある旨の指摘がなされている。
(注2) たとえば、指名委員会等設置会社および監査等委員会設置会社は、監査役会設置会社に比べ、モニタリング・モデルを指向する機関設計と位置づけられている（坂本三郎編著『一問一答　平成26年改正会社法〔第2版〕』（商事法務、2015）62頁、江頭憲治郎『株式会社法〔第8版〕』（有斐閣、2021）578頁、608頁）。

Q88 コードの適用を踏まえた取締役会付議事項のあり方は。

●解説

　コードにおいて、取締役会が特定の対応の主体として明示的に言及されている事項は多岐に及んでおり、これらの多くについては、各原則の趣旨を踏まえ、取締役会での審議が必要となることが想定される。たとえば、補充原則1-1①は、株主総会で相当数の反対票が投じられた会社提案議案について、取締役会がその原因の分析等を行うことを求め、また、補充原則4-1③は、取締役会が、最高経営責任者（CEO）等の後継者計画（プランニング）の策定・運用に主体的に関与するとともに、後継者候補の育成が十分な時間と資源をかけて計画的に行われていくよう、適切に監督を行うべきものとしている。

　また、コードの各原則において取締役会が主体として明示されていなくとも、その事柄の性質上、取締役会で審議を行うことが合理的であると考えられる事項もある。たとえば、原則3-1(i)は、上場会社は経営理念等や経営戦略、経営計画を開示すべきとするが、会社法上、取締役会の専決事項が限定されている指名委員会等設置会社においてすら、経営の基本方針の策定は取締役会の専決事項とされていることからすれば（会社法416条1項1号イ）、これらの事項については、取締役会にて審議すべきことが通常と思われる[注1]。

　以上のとおり、コードを合理的に解釈すれば、多くの上場会社では、コードの適用を踏まえて取締役会に付議すべきと整理される事項が相応に存在すると考えられる。これらの事項について、決議事項とするか報告事項とするかは、当該事項の会社法上の位置づけや、関連するコードの原則の趣旨・精神を踏まえて、各社が合理的に判断することとなる。

　なお、コード適用前の実務では、わが国の上場会社における取締役会付議基準（特に決議事項）は、会社法上の取締役会決議事項をベースに作成されることが通例であったと思われるが[注2]、コード適用下においては、このような付議基準の作成方針そのものについて再検討が必要となってきている。

　具体的には、コードに対応した取締役会付議基準として、図表88のような内容とすることが考えられる[注3]。コードに対応して従来の一般的な付議基準から追加または変更を行った付議事項には、図表88において、網掛け

の上、【　】で関連する諸原則を記載している。なお、取締役会が特定の対応の主体として明示的に言及されている原則および補充原則ならびにその事柄の性質上、取締役会で審議を行うことが合理的であると考えられる原則および補充原則は、後記 Q89 のとおりである。

〔図表 88〕コードに対応した取締役会付議基準の例

取締役会決議・審議事項

1　経営の基本方針
　(1)　経営理念【原則 2-1、3-1(i)、5-2】
　(2)　経営戦略（事業ポートフォリオに関する基本的な方針を含む）及び経営計画（中期経営計画を含む）【原則 3-1(i)、4-1、5-2、補充原則 5-2①】
　(3)　行動準則及びその遵守体制【原則 2-2、補充原則 2-2①】
　(4)　資本政策の基本方針【原則 1-3】
　(5)　年度事業計画／年度予算
　(6)　その他の経営目標の設定及び改廃
　(7)　コーポレートガバナンスの基本的な考え方と基本方針【原則 3-1(ii)】
　(8)　自社のサステナビリティを巡る取組みについての基本方針【補充原則 4-2②】
　(9)　内部統制システムの基本方針
　(10)　財務及び事業の方針の決定を支配する者の在り方に関する基本方針
　(11)　公開買付けに関する意見【補充原則 1-5①】
　(12)　株主との対話の体制【原則 5-1】
　(13)　その他の経営上の重要方針

2　株主総会に関する事項
　(1)　株主総会の招集
　(2)　株主総会に提出する議案の内容
　(3)　株主総会の招集権者・議長の代行順序
　(4)　基準日後に当会社の株式を取得した者の全部又は一部を株主総会において議決権を行使することができる者と定めること

3　株主還元に関する事項
　(1)　剰余金の配当
　(2)　自己株式の取得・消却

4　取締役会・取締役に関する事項

(1) 取締役・監査役候補の指名（バランス、多様性、規模を含む）に関する方針と決定手続【原則 3-1 (iv)、原則 4-11、補充原則 4-11 ①】
(2) 取締役・監査役候補者の指名及びその理由【原則 3-1 (v)】
(3) 社外役員の独立性に関する基準の制定及び改廃
(4) 代表取締役の選定及び解職、並びに、その理由【原則 3-1 (v)、補充原則 4-3 ①、補充原則 4-3 ②、補充原則 4-3 ③】
(5) 役付取締役の選定及び解職、並びに、その理由【原則 3-1 (v)、補充原則 4-3 ①】
(6) 取締役会の諮問委員会（指名委員会、報酬委員会）の委員の選定及び解職
(7) 取締役の職務分掌／職務分担
(8) 取締役その他の役員等の個人別の報酬等の内容についての決定に関する方針【原則 3-1 (iii)、原則 4-2、補充原則 4-2 ①】
(9) 補償契約・D&O 保険契約の内容の決定
(10) 会社法 348 条の 2 第 1 項に基づく業務執行の社外取締役への委託
(11) 特別取締役の選定及び解職
(12) 取締役会の招集権者・議長の代行順序
(13) 競業取引・利益相反取引の承認
(14) 常勤取締役の他会社役員の兼任の承認
(15) 役員等の会社に対する責任の免除、責任限定契約の締結
(16) 取締役との訴えにおける会社代表者
(17) 相談役の選任及び解任
(18) 取締役会規程の制定及び改廃（軽微なものを除く）
(19) 独立社外取締役の前記(2)から(8)に関する関与方針【原則 4-6、4-7、4-8、補充原則 4-10 ①】
(20) 内部監査部門と取締役の連携方針【補充原則 4-13 ③】
(21) 役員への情報提供体制【原則 4-13】
(22) 取締役会の実効性の評価【原則 4-11、補充原則 4-11 ③】

5 業務執行体制に関する事項
(1) 執行役員の選任及び解任
(2) 執行役員の担当職務
(3) 執行役員規程の制定及び改廃（軽微なものを除く）
(4) 事業部／事業部門／本社本部／研究所の設置及び改廃
(5) 本社コーポレート部門の各部の設置及び改廃
(6) その他事業上又はコーポレートガバナンス上重要な組織の設置及び改廃

6 決算・計算に関する事項
 (1) 事業報告、計算書類及び附属明細書の承認
 (2) 連結計算書類の承認
 (3) 臨時計算書類の承認
 (4) 通期決算短信、四半期決算短信、有価証券報告書の承認
 (5) 資本金の減少
 (6) 準備金の減少
 (7) 損失の処理、任意積立金の積立てその他の剰余金の処分

7 株式に関する事項
 (1) 株式の募集
 (2) 株式分割・株式無償割当て
 (3) 単元株式数の変更
 (4) 所在不明株主の株式の買取
 (5) 1株に満たない端数部分の買取
 (6) 株主名簿管理人及びその事務取扱場所の選定
 (7) 基準日の設定
 (8) 株式取扱規程の制定及び改廃（軽微なものを除く）

8 新株予約権に関する事項
 (1) 新株予約権の募集
 (2) 新株予約権の無償割当て
 (3) 新株予約権の譲渡の承認
 (4) 取得条項付新株予約権の取得、自己新株予約権の消却

9 事業に関する事項
 (1) 投融資
  ① 1件○億円以上の株式・持分の取得・処分
  ② 1件○億円以上のその他の投資
  ③ 1件○億円以上の融資・保証・第三者への担保提供
    ただし、子会社に対するものは1件○億円以上とし、融資・保証については、融資額・保証額から別途定める方法により評価した担保価値を差し引いた金額をもって1件あたりの金額とする。
 (2) 投融資以外の資産の取得・処分
  ① 1件○億円以上の流動資産の取得及び譲渡
  ② 1件○億円以上の固定資産の取得及び譲渡
  ③ 1件○億円以上の債権放棄・債務免除
  ④ 1件○万円以上の寄付

⑤　上記にかかわらず、当社の債務免除、債権放棄、債権譲渡又は株式・持分・その他権利の処分等の損害額の合計が○億円以上のもの
　(3)　資金調達
　　①　事業年度ごとの資金調達計画
　　②　1件○億円以上の借入れ（上記①に含まれないもの）
　　③　社債の募集
　　④　その他重要又は非通例的な借入れ
　(4)　事業譲渡・譲受契約、合併契約、吸収分割契約、新設分割計画、株式交換契約、株式移転計画、株式交付計画
　(5)　別途定める重要な業務提携契約、業務委託その他の契約
　(6)　政策保有株式の保有方針及び議決権行使基準並びに保有意義の検証【原則1-4】

10　管理に関する事項
　(1)　就業規則、その他取締役会にて決定した内規の改廃（軽微なものを除く）
　(2)　訴額○億円以上の訴訟の提起、和解その他これに準じる行為
　(3)　関連当事者取引に関する適正手続の策定及び改廃、並びに、同手続により必要な取引の承認【原則1-7】

11　子会社等に関する事項
　(1)　グループ経営の基本に関する事項
　(2)　別途定める重要な子会社の役員人事
　(3)　別途定める重要な子会社の剰余金配当その他の剰余金処分
　(4)　子会社（上場会社とその子会社を除く）における前記9に該当する事項について、1件あたりの金額に当社の子会社に対する出資比率を乗じた金額が、前記9所定の金額を超えるもの
　(5)　別途定める重要な関連会社に対する重要な株主権行使

12　その他の事項
　(1)　その他法令、定款及び内規に基づく決議事項
　(2)　その他株主総会決議に基づく決議事項
　(3)　その他取締役会決議に基づく決議事項

取締役会報告・審議事項

1．職務執行状況
　(1)　中計経営計画の進捗状況及び結果【補充原則4-1②】

(2)　年度予算・半期予算とその進捗状況
　(3)　部門別の事業活動の概況
　(4)　子会社／地域ごとの事業活動の概況
　(5)　月次決算概況
　(6)　内部統制報告書、四半期報告書、重要な適時開示、その他コーポレートガバナンス上重要な企業情報の開示の体制整備状況及び開示内容【原則 4-3】
　(7)　その他公官庁、取引所に対する届出等のうち特に重要なもの
　(8)　行動準則の遵守状況【原則 2-2、補充原則 2-2 ①】
　(9)　サステナビリティに関する取組状況【補充原則 2-3 ①】
　⑽　取締役会の決議事項のうち特に重要な事項の経過
　⑾　その他取締役会により報告を求められた事項
2.　取締役の競業取引・利益相反取引の報告を含む関連当事者取引に関する適正手続の履行状況【原則 1-7】
3.　コーポレートガバナンスの状況
　(1)　株主総会の議決権行使状況とその分析結果【補充原則 1-1 ①】
　(2)　支配株主の移動等を伴う資本政策の適正手続の履行状況【原則 1-6】
　(3)　内部通報の体制整備状況【原則 2-5】
　(4)　内部監査の状況【原則 4-3、補充原則 4-3 ④】
　(5)　会計監査人の監査の実効性確保のための体制【補充原則 3-2 ①】
　(6)　経営トップの後継者選定計画【補充原則 4-1 ③】
　(7)　取締役会の諮問委員会（指名委員会、報酬委員会）の活動状況
　(8)　役員への情報提供の状況【原則 4-3、4-13】
　(9)　役員トレーニングの状況【原則 4-14】
4.　監査役による取締役の不正行為等の報告
5.　その他、取締役及び監査役がその職務執行に関して報告が相当と思料する事項

（注1）「経営の基本方針」は、取締役会・執行役が業務を決定し、取締役会が取締役・執行役の職務の執行を監督（評価）する際の基本方針であり、中長期計画等がこれに当たるとされている（江頭憲治郎『株式会社法〔第8版〕』（有斐閣、2021）583頁）。
（注2）澤口実『Q&A取締役会運営の実務』（商事法務、2010）48頁。
（注3）図表88の取締役会付議基準の例は、代表取締役および役付取締役をもって「経営陣幹部」とする会社を想定したものである。

> **Q89** コードにおいて取締役会が主体とされているものは何か。

●解説

コードにおいて、取締役会が特定の対応の主体として明示的に言及されている原則および補充原則は、以下のとおりである。

補充原則1-1①	株主総会で賛成比率の低い議案の原因分析と株主対応の要否の検討
原則1-4	個別の政策保有株式についての保有の適否の検証
原則1-5	買収防衛策を導入・運用する際の検討・適正手続の確保・説明
補充原則1-5①	公開買付けに関する取締役会の考え方の明確な説明
原則1-6	支配権移動・大規模希釈化をもたらす資本政策についての検討・適正手続の確保・説明
原則1-7	関連当事者間の取引に関する手続の開示と監視
原則2-2	行動準則の策定・実践
補充原則2-2①	行動準則の遵守状況の適宜または定期的なレビュー
補充原則2-3①	サステナビリティを巡る課題への積極的・能動的取組みの検討
原則2-5	適切な内部通報体制の実現と、運用状況の監督
補充原則3-1①	ひな型的な記述や具体性を欠く記述の回避
補充原則3-2②	外部会計監査人の監査時間の確保等
原則4-1	経営理念等の確立と戦略的な方向付け等
補充原則4-1①	経営陣に対する委任の範囲の明確な決定・開示
補充原則4-1②	中期経営計画の実現への最善の努力と、未達時の原因・対応の分析等
補充原則4-1③	最高経営責任者（CEO）等の後継者計画の策定・運用への主体的な関与、後継者候補の育成の監督
原則4-2	リスクテイクの環境整備と提案の多角的検討と支援、インセンティブ付け
補充原則4-2①	報酬制度の設計・具体的な報酬額の決定、中長期的業績連動報酬・現金報酬・自社株報酬についての割合の設定
補充原則4-2②	サステナビリティを巡る取組みに関する基本方針の策定、経営資源の配分や事業ポートフォリオに関する戦略の実行についての実効的な監督
原則4-3	経営陣等への実効性の高い監督、業績評価と人事への反映

		情報開示の監督、内部統制の整備、利益相反の管理
補充原則 4-3 ①		経営陣幹部の選任や解任
補充原則 4-3 ②		CEO の選任
補充原則 4-3 ③		CEO を解任するための手続の確立
補充原則 4-3 ④		グループ全体を含めた内部統制やリスク管理体制の適切な構築、運用状況の監督
原則 4-9		独立性判断基準の策定・公表と適切な候補者の選定
原則 4-11		取締役会の適切な構成、実効性の分析・評価等による機能の向上
補充原則 4-11 ①		取締役会のバランス、多様性および規模の考え方の決定、取締役の有するスキル等の組み合わせの開示
補充原則 4-11 ③		取締役会評価の実施と結果概要の開示
原則 4-12		取締役会における自由闊達で建設的な議論・意見交換を尊ぶ気風の醸成
補充原則 4-12 ①		取締役会の審議の活性化を図るための会議運営
原則 4-13		役員へ情報が円滑に提供されているかについての確認
原則 4-14		役員のトレーニングの確認
原則 5-1		株主との対話促進のための方針の検討・承認・開示
補充原則 5-2 ①		事業ポートフォリオに関する基本方針の決定や事業ポートフォリオの見直し

また、コードにおいて、取締役会が特定の対応の主体として明示的に言及されてはいないものの、その事柄の性質上、取締役会で審議を行うことが合理的であると考えられる原則および補原則は、以下のとおりである。

原則 1-3	資本政策の基本的な方針
原則 1-4	政策保有株式の保有方針、議決権行使基準
原則 2-1／3-1(i)／5-2	経営理念、経営戦略、経営計画
原則 3-1(ii)	コーポレートガバナンスに関する基本的な考え方と基本方針
原則 3-1(iii)	経営陣幹部・取締役の報酬についての方針・手続
原則 3-1(iv)	経営陣幹部の選解任と取締役・監査役候補の指名についての方針・手続

原則 3-1(v)	経営陣幹部の選解任と取締役・監査役候補の指名についての個別説明
補充原則 3-1③	経営戦略の開示に際したサステナビリティについての取組み、人的資本や知的財産への投資等
原則 4-6	業務の執行と一定の距離を置く取締役の活用についての検討
原則 4-7／4-8	独立社外取締役の選任と活用
補充原則 4-8①／②	社外者のみを構成員とする会合、経営陣・監査役との連絡連携体制
補充原則 4-8③	支配株主を有する上場会社における独立社外取締役の選任、独立性を有する者で構成された特別委員会の設置
補充原則 4-10①	独立した指名委員会・報酬委員会の設置による指名・報酬等についてのこれらの委員会の関与・助言
補充原則 4-11①	経営環境や事業特性等に応じた適切な形で取締役の有するスキル等の組み合わせ
補充原則 4-13③	内部監査部門が直接報告を行う仕組みを構築すること等による内部監査部門と取締役・監査役との連携確保

> **Q90** 経営陣への委任の範囲の概要はどこまで開示すべきか。

●解説　　　　　　　　　　　　　　　　　　　　　　　　補充原則 4-1 ①

　補充原則 4-1 ①は、経営陣に対する委任の範囲を明確に定め、その概要を開示すべきとする。

　経営陣に対する委任の範囲を明確に定めること自体は、多くの上場会社においてすでに行われており、その内容は、取締役会規則に定められた取締役会付議基準や、付議基準の詳細な運用の指針といった内規等において定められているのが一般である。しかし、本補充原則で開示が求められているのは、あくまでも「概要」であり、取締役会規則等の内規そのものを開示する必要はない(注)。

　そこで、経営陣への委任の範囲の概要を開示するに際しては、定量的な内容を示す以外にも、たとえば、「連結業績へ大きな影響を与える投融資については取締役会に付議し、その他の法令上可能な業務執行の決定はすべて代表取締役に委任する」といった、取締役会に付議すべき事項または経営陣に委任される事項の性質等についての定性的な説明を行うことも考えられる。

(注) 有識者会議（第 8 回）議事録〔油布志行金融庁総務企画局企業開示課長発言〕、油布ほか〔Ⅲ〕39 頁。

Q91 中期経営計画に関して何が求められるのか。

●解説　　　　　　　　　　　　　　　　　　　　　　　　　補充原則4-1②

　補充原則4-1②は、取締役会および経営陣幹部に対し、中期経営計画が株主に対するコミットメントの1つであるとの認識に立ち、その実現に向けて最善の努力を行うべきであるとし、また、中期経営計画が目標未達に終わった場合には、その原因や自社が行った対応の内容を十分に分析し、株主に説明を行うとともに、その分析を次期以降の計画に反映させるべきであるとする。これは、日本において多くの上場会社が中期経営計画を策定・公表しており、中長期的な視点で株主と取締役・経営陣が対話を行うための資料として有用との評価がある一方で、中期経営計画の達成度合が低く、むしろ計画実行への信頼性が低いとの指摘もあること[注1]を踏まえたものとされている[注2]。

　もっとも、そもそも中期の計画をあえて策定しないという経営判断も否定すべきでないと考えられることから、中期経営計画を策定しない上場会社には、本補充原則は適用されず、エクスプレインも要求されないと解されている[注3]。そのため、中期経営計画を策定しない場合には、本補充原則の後半で求められる株主への説明や、次期以降の計画への反映についても、コード上は求められないことになると考えられる。

(注1) 伊藤レポート82頁。
(注2) 油布ほか〔Ⅲ〕39頁。
(注3) 油布ほか〔Ⅲ〕40頁。ただし、実質的に見て「中期経営計画」と評価できる内容のものであれば、形式にかかわらず本補充原則の適用があるとされている。

Q92 「後継者計画(プランニング)」とは何か。

●解説 補充原則4-1③

補充原則4-1③は、会社の目指すところ(経営理念等)や具体的な経営戦略を踏まえ、最高経営責任者(CEO)等の後継者計画(プランニング)の策定・運用に主体的に関与するとともに、後継者候補の育成が十分な時間と資源をかけて計画的に行われていくよう適切に監督を行うことを取締役会に求めている。

本補充原則は、「後継者計画(プランニング)」の内容について、具体的に規定していない[注1]。そのため、「後継者計画(プランニング)」の内容は、プリンシプルベース・アプローチの下、各社が合理的に判断するほかない[注2]。この点、「後継者計画(プランニング)」は、米国のサクセッションプランを参考にしたものであるところ、米国でも、サクセッションプランは明確な定義がなく多義的に使用されているが、少なくとも、後継候補の育成のみを意味するものではない。したがって、「後継者計画(プランニング)」についても、次の最高経営責任者(CEO)等の選定に関する計画であり、後継候補の育成を含むが、それのみにとどまらないものと解することが適当であろう。

なお、対話ガイドライン3-3は、CEOの後継者候補に関し、社外の人材の選定について言及するが、「必要に応じ」と明記されているとおり、社外の人材を候補者に加えることは必須ではなく、「後継者計画(プランニング)」の中で、会社の個別事情を踏まえて検討していくことになるものと考えられる。

「後継者計画(プランニング)」の形式は特定されておらず、必ずしも「計画書」といった特定の文書を作成する必要はないと考えられる[注3]。もっとも、取締役会がその策定・運用に主体的に関与するためには、「後継者計画(プランニング)」を明示(文書化等)することが前提となることについては留意が必要である[注4]。

計画の対象となる「最高経営責任者(CEO)等」の意義については、前記Q21を参照されたい。

(注1) フォローアップ会議（第14回）議事録〔田原泰雅金融庁総務企画局企業開示課長発言〕においても、補充原則4-1③について「後継者計画や後継者候補の育成そのものについての直接的な記載がございませんので、この点についてコードの内容を見直すことが考えられるかということでございます」と指摘されている。
(注2) 株式会社りそなホールディングスのガバナンス報告書（2021年4月6日）にて、本補充原則に基づく開示としてサクセッション・プランの概要が開示されている。
(注3) 油布ほか〔Ⅲ〕40頁、2018年コード改訂パブコメ回答71番。
(注4) そのため、たとえば、計画の重要な部分については文書にするなど、上場会社ごとに工夫が求められるものと考えられる。2018年コード改訂パブコメ回答71番。

Q93 「関与」や「監督」の主体は、任意の独立した指名委員会でもよいか。

●解説　　　　　　　　　　　　　　　　　　　補充原則4-1③、4-10①

　2018年改訂により、補充原則4-1③は、取締役会に、後継者計画（プランニング）の策定・運用への主体的な関与と、後継者候補の育成が十分な時間と資源をかけて計画的に行われていくよう適切な監督を行うことを求めるものとされた。かかる改訂は、後継者計画の策定・運用や、これに対する取締役会の関与を促進することを目的として行われたものである。

　本補充原則の趣旨は、最も重要な戦略的意思決定である最高経営責任者（CEO）等の選定が、現任や過去の最高経営責任者（CEO）等のみにより決定されるのではなく、独立社外取締役も関与させることにより、その適正さを担保しようとする点にある。したがって、「関与」や「監督」の主体は、独立した指名委員会である方が、より本補充原則の趣旨に適うことになることから、取締役会自体ではなく、このような指名委員会を主体とすることでも問題ない(注)。このような考え方は、2021年改訂により、補充原則4-10①において、独立社外取締役が取締役会の過半数に達していない場合には、「後継者計画を含む」経営陣幹部・取締役の指名について、独立した指名委員会の適切な関与・助言を得るべきことが明記された点にも表れている。

(注) 2018年コード改訂パブコメ回答68～70番。実際に、CEOの後継者計画について監督を行っている企業のうち、約8割の企業は、指名委員会を活用している（フォローアップ会議（第21回）資料4「取締役会の機能発揮と多様性の確保」12頁）。

Q94 経営陣の報酬制度の設計や具体的な報酬額の決定について、コードは何を求めているか。

●解説　　　　　　　　　　　　　　　　　　　　　　　　補充原則 4-2 ①

　補充原則 4-2 ①は、2018 年改訂により、経営陣の報酬が持続的な成長に向けた健全なインセンティブとして機能するよう、取締役会が、客観性・透明性ある手続に従い、報酬制度を設計し、具体的な報酬額を決定すべきことが明記された。かかる改訂により、報酬制度の設計および報酬額の決定の手続の客観性・透明性、特に、社外取締役の関与が求められることがより明確化された。

　本補充原則の趣旨は、経営者の一存ではなく、社外取締役の関与の下で、役員報酬制度が客観性・透明性ある手続において決定され、当該制度に基づき定められた具体的な支給額がかかる決定に沿ったものとなることを求める点にある。したがって、本補充原則は、取締役会が「具体的な報酬額を決定すべき」としているが、取締役会において個別の報酬額を決議することまで必要的とするものではない(注1)。

　また、本補充原則にいう「客観性・透明性ある手続」とは、典型的には、独立の報酬諮問委員会による審議が想定される(注2)。もっとも、プリンシプルベース・アプローチの下、これに限られるものではなく、たとえば、社外取締役が取締役会の過半数を占める場合の当該取締役会での審議等や、社外役員会議における審議等をもって「客観性・透明性ある手続」とすることも考えられよう。

　なお、令和元年改正会社法においては、取締役の報酬等の内容の決定手続等に関する透明性の向上を目的として(注3)、上場会社等(注4)の取締役会において取締役の個人別の報酬等の内容についての決定に関する方針を決定することが義務づけられたほか（会社法 361 条 7 項、会社法施行規則 98 条の 5）、事業報告における会社役員の報酬等に関する開示事項を拡充する（会社法施行規則 121 条 4 号～6 号の 3）等の改正がなされている。

(注1) 2018 年コード改訂パブコメ回答 84 ～ 90 番も、「実務においては、具体的な報酬額の決定を、取締役会から代表取締役等に再一任する対応も行われていると承知しており、補充原則 4-2 ①は、こうした実務を否定するものではありません」とする。もっと

も、そのような場合でも、「十分な客観性・透明性が確保されるよう、取締役会の責任の下で、上場会社ごとに手続上の工夫がなされることが重要と考えられ」るとしている点については留意が必要である。
（注2）対話ガイドライン3-5も、経営陣の報酬制度や具体的な報酬額の決定に係る客観性・透明性ある手続の確立について言及した上で、「こうした手続を実効的なものとするために、独立した報酬委員会が必要な権限を備え、活用されているか。」と記載している。
（注3）竹林俊憲編著『一問一答　令和元年改正会社法』（商事法務、2020）73頁以下参照。
（注4）具体的には、有価証券報告書を提出する監査役会設置会社（公開会社であり、かつ大会社であるものに限る）および監査等委員会設置会社が対象とされている（会社法361条7項1号・2号）。

Q95 「割合を適切に設定すべき」とはどういう意味か。

●解説　　　　　　　　　　　　　　　　　　　　　　　　　　補充原則 4-2 ①

　補充原則 4-2 ①は、原則 4-2 を受け、取締役会は、経営陣の報酬が持続的な成長に向けた健全なインセンティブの 1 つとして機能するよう、客観性・透明性ある手続に従い、報酬制度を設計し、具体的な報酬額を決定すべきとした上で、その際、中長期的な業績と連動する報酬の割合や、現金報酬と自社株報酬との割合を適切に設定すべきであるとする。

　ここで、各上場会社において業績連動報酬や自社株報酬の具体的な割合をどのように設定するかについては、その置かれた状況を踏まえてさまざまな要素を考慮した上で合理的な検討が行われることが期待されるものである。したがって、そのような検討の結果、中長期的な業績と連動する報酬や自社株報酬を導入しない（割合をゼロとする）ことが必ずしも否定されるものではないと解されている[注]。

　なお、令和元年改正会社法においては、上場会社等の取締役会は、取締役の個人別の報酬等の内容についての決定に関する方針の一内容として、取締役の個人別の報酬等についての業績連動報酬等、非金銭報酬等またはそれ以外の報酬等の額の割合の決定に関する方針を決定することが義務づけられている（会社法 361 条 7 項、会社法施行規則 98 条の 5 第 4 号）。

（注）油布ほか〔Ⅲ〕40 頁以下。

Q96 業績等の評価を経営陣幹部の選解任に反映させるための手続はどうすればよいか。

●解説　　　　　　　　　　　　　　　　　　　原則 4-3、補充原則 4-3 ①

　原則 4-3 第 1 文は、取締役会は適切に会社の業績等の評価を行い、その評価を経営陣幹部の人事に適切に反映すべきとしている。本原則における「人事」とは、指名・報酬の双方を含むものとして用いられていると考えられるが、補充原則 4-3 ①は、そのうち指名すなわち経営陣幹部の選解任について、公正かつ透明性の高い手続に従い適切に実行することを取締役会に求めている。

　この点、業務執行者のみにより構成された取締役会においては、業績等の評価を適切に人事に反映させることを期待することは必ずしも容易ではなく、本原則および本補充原則は、取締役会における一定の独立性を求めるものと考えることができる。そのため、本原則および本補充原則の趣旨を踏まえた手続としては、たとえば、監査役会設置会社または監査等委員会設置会社であれば、取締役会の下に独立社外取締役を主要な構成員とする独立した指名委員会を設置し、経営陣幹部の選解任に際して、業績等の評価を踏まえた適切な関与・助言を得ること等が考えられる（補充原則 4-10 ①も参照）。

　なお、取締役会による経営陣幹部の選解任手続は原則 3-1 (iv)によってその開示が求められているところ、本原則および本補充原則への対応として実施する手続については、かかる開示の対象とし、その透明性を確保することが期待されているものと思われる。

Q97　CEOの選任手続についてコードは何を求めているか。

●解説　　　　　　　　　　　　　　　　　　　　原則4-3、補充原則4-3②

　補充原則4-3②は、取締役に対し、CEOの選解任は会社における最も重要な戦略的意思決定であることを踏まえ、客観性・適時性・透明性ある手続に従い、十分な時間と資源をかけて、資質を備えたCEOを選任すべきとする。

　経営陣幹部の選解任については、従来から補充原則4-3①において公正かつ透明性の高い手続に従い適切に実行すべきであることが示されているが、補充原則4-3②は、そうした中でも特にCEOの選解任は企業の持続的な成長と中長期的な企業価値の向上を実現していく上で重要な意思決定であることを踏まえ、CEOの選任につき、プロセスの客観性・適時性・透明性、特に社外取締役の関与が求められることを改めて明確化したものである[注1]。当該プロセスが実効的なものとなっているかについては、投資家と企業との間で建設的な対話が行われることが期待されており（対話ガイドライン3-2）、補充原則4-3②は、対話ガイドラインと同様の記載をコードに盛り込んだものである[注2]。

　「客観性」・「透明性」ある手続としては、対話ガイドライン3-2が「独立した指名委員会」の活用を掲げていることや、補充原則4-10①が一定の会社につき経営陣幹部の指名に当たり「独立社外取締役を主要な構成員とする独立した指名委員会・報酬委員会」の設置を求めていることからすれば、独立した指名諮問委員会による審議または決定が典型例と考えられる[注3]（なお、独立した指名委員会に求められる独立性の意味については、後記Q114参照）。

　もっとも、これに限られるものではなく、たとえば、社外取締役が取締役の過半数を占める場合の当該取締役会での審議や、社外役員会議における審議も、「客観性」・「透明性」ある手続と整理する余地があろう。また、米国では、報酬の決定を担当する委員会は必然的に社内の人材およびその評価に精通するとして、CEOの後継者計画の作成を報酬諮問委員会が担当しているケースがあるが[注4]、そのような報酬諮問委員会による審議も「客観性」・「透明性」ある手続と位置づけられる。

　なお、「適時性」には、状況に応じて機動的に新たなCEOを選任すると

の趣旨が含まれるとされている^(注5)。

―――――――――――

(注1) フォローアップ会議（第14回）議事録〔田原泰雅金融庁総務企画局企業開示課長発言〕。
(注2) フォローアップ会議（第15回）議事録〔田原泰雅金融庁総務企画局企業開示課長発言〕。
(注3) 2018年コード改訂パブコメ回答54～57番、2018年対話ガイドライン策定パブコメ回答42～44番参照。
(注4) 澤口実＝若林功晃＝辻信之＝薮野紀一「サクセッションプランの実像—米国S＆P100構成企業開示と具体的事例から—」商事法務2164号（2018）9頁。
(注5) 2018年コード改訂パブコメ回答54～57番。

Q98 CEOの解任手続についてコードは何を求めているか。

●解説　　　　　　　　　　　　　　　　　原則4-3、補充原則4-3③

　補充原則4-3③は、取締役に対し、会社の業績等の適切な評価を踏まえ、CEOがその機能を十分発揮していないと認められる場合に、CEOを解任するための客観性・適時性・透明性ある手続を確立すべきとする。

　本補充原則は、適切に会社の業績等の評価を行った上でCEOに問題があると認められるような場合には、取締役会が経営陣からの独立性・客観性を十分確保した上で適時・適切にCEOを解任できる仕組みを整えておくことが必要である旨の指摘があったことを踏まえ[注1]、取締役会の役割・権限として、必要に応じて現在のCEOを交代させることが含まれることを明確にするものである。当該プロセスが実効的なものとなっているかについては、補充原則4-3②と同様、投資家と企業との間で建設的な対話が行われることが期待されている（対話ガイドライン3-4）。

　「客観性」・「透明性」ある手続としては、補充原則4-3②と同様、指名諮問委員会による審議が典型例であると考えられる。独立した指名諮問委員会は、経営陣からの独立性が確保されているという意味で「客観性」があり、またそのような手続には、あらかじめ取締役会が設置した委員会が担当するという意味で「透明性」があるといい得るからである。

　「適時性」には、CEOの解任が、上場会社の業績等の評価や経営環境の変化等を踏まえ、硬直的な運用によることなく、機動的に行われることを可能にするとの趣旨が含まれるとされている[注2]。すなわち、ここでは、適切に会社の業績等の評価を行い、問題が確認された場合には早期に対応することが求められており、それを可能とするプロセスとしては、たとえば、指名諮問委員会においてCEOの再任の可否についての議論を開始する業績要件をあらかじめ設定しておくことや[注3]、指名諮問委員会においてCEOの再任の可否につき定期的に（たとえば毎年）審議することなどが考えられる。

[注1] フォローアップ会議「意見書2　会社の持続的成長と中長期的な企業価値の向上に向けた取締役会のあり方」（2016年2月18日）Ⅱ.1.(2)。
[注2] 2018年コード改訂パブコメ回答58～60番。
[注3] コーポレート・ガバナンス・システムに関する実務指針86頁。

Q99 内部統制やリスク管理体制について取締役会は何をすればよいのか。

●解説　　　　　　　　　　　　　　　　　　　　原則 4-3、補充原則 4-3 ④

　原則 4-3 第 2 文は、取締役会に対し、適時かつ正確な情報開示が行われるよう監督を行うとともに、内部統制やリスク管理体制を適切に整備すべきとする。

　そして、補充原則 4-3 ④は、この内部統制や全社的リスク管理体制の整備について、適切なコンプライアンスの確保とリスクテイクの裏付けとなり得るものであるとした上で、取締役会は、グループ全体を含めたこれらの体制を適切に構築し、内部監査部門を活用しつつ、その運用状況を監督すべきものとされた。これは、取締役会に期待される実効性の高い監督は、統制や管理の体制を適切に整備し、その運用状況を評価することにより実現されるものであるとの考え方を示すものとされている(注1)。

　この点、各上場会社は、事業報告において内部統制システムの運用状況の概要を記載し（会社法施行規則 118 条 2 号）、取締役会の承認を得なければならない（会社法 436 条 3 項）ところ、取締役会において十分に審議検討の上承認したことをもって、本原則および本補充原則につきコンプライと整理することも可能と考えられよう(注2)。

　なお、2021 年改訂においては、取締役会による内部統制やリスク管理体制の適切な整備に際し、企業価値の向上の観点から企業として引き受けるリスクを取締役会が適切に決定・評価する視点の重要性や、内部統制やリスク管理をガバナンス上の問題として意識して取締役会で取り扱うことの重要性を念頭においた指摘があったこと(注3)を踏まえ、補充原則 4-3 ④の表現の修正がされている。また、グループ経営をする上場会社におけるグループ会社レベルでの視点に立った取組みの重要性の指摘もあったことから、「グループ全体を含めた」内部統制や全社的リスク管理体制の適切な構築、運用状況の監督についても明記された(注4)(注5)。さらに、内部監査部門の役割の重要性が増していることから(注6)、取締役会による内部統制システムの運用状況の監督に際して、内部監査部門を活用すべきことについても明記された。内部監査部門の活用については、補充原則 4-13 ③が、取締役会と監査役会の双方に対して適切に直接報告を行う仕組み（いわゆるデュアル・レポーティング）について言及するものの、内部監査部門を監査役会の指揮下に置く組織

形態や、逆に、代表取締役や取締役会の直轄部門とする組織形態が許容されないというわけではない（後記 Q127 参照）。

(注1) 油布ほか〔Ⅲ〕41 頁。
(注2) この点、2021 年コード改訂パブコメ回答 466 ～ 467 番は、「原則 4-3 における「内部統制やリスク管理体制」の適切な「整備」は、……会社法上のいわゆる内部統制システムの整備に関する決定についても含む概念である」と述べており、参考になる。
(注3) 2021 年改訂提言Ⅱ.4.(2)。
(注4) フォローアップ会議（第 26 回）議事録〔島崎征夫金融庁企画市場局企業開示課長発言〕、2021 年改訂提言Ⅱ.4.(2)。
(注5) 「グループ」の範囲については、プリンシプルベース・アプローチの下、各社において個別事情を踏まえた合理的な判断に委ねられている（2021 年コード改訂パブコメ回答 465 番）。
(注6) フォローアップ会議（第 25 回）議事録〔神作裕之メンバー発言〕。

Q100 監査役・監査役会の役割・責務についてコードは何を求めているか。

●解説　　　　　　　　　　　　　　　　　　　　原則4-4、補充原則4-4①

　原則4-4は、監査役および監査役会の役割・責務について、監査役および監査役会がその権限行使に際して、株主に対する受託者責任を踏まえ、独立した客観的な立場において適切な判断を行うこと（第1文）、ならびに能動的・積極的に権限を行使し、取締役会においてあるいは経営陣に対して適切に意見を述べること（第2文）を求める。本原則は、日本の上場会社の多くが監査役会設置会社であるという現状を踏まえ、監査役・監査役会に対し、実効的なコーポレートガバナンスの実現のためにその役割・責務を果たすことを強く期待するものとされる(注1)。また、本原則を受けた補充原則4-4①は、このような監査役会の役割・責務を十分に果たすとの観点から、社外監査役に由来する強固な独立性と、常勤監査役が保有する高度な情報収集能力とを組み合わせて実効性を高め（第1文）、また、監査役または監査役会は、社外取締役がその独立性に影響を受けることなく情報収集力の強化を図ることができるよう、社外取締役との連携を確保すること（第2文）を求めている。

　この点、日本監査役協会より公表されている監査役監査基準では、13条においてコードを踏まえた監査役および監査役会の対応について規定している(注2)。

（コーポレートガバナンス・コードを踏まえた対応）
　第13条
1. コーポレートガバナンス・コードの適用を受ける会社の監査役は、コーポレートガバナンス・コードの趣旨を十分に理解したうえで、自らの職務の遂行に当たるものとする。【Lv.4】
2. 監査役及び監査役会は、取締役会が担う以下の監督機能が会社の持続的成長と中長期的な企業価値の向上を促しかつ収益力・資本効率等の改善を図るべく適切に発揮されているのかを監視するとともに、自らの職責の範囲内でこれらの監督機能の一部を担うものとする。【Lv.4】
　　一　企業戦略等の大きな方向性を示すこと

> 　　二　代表取締役その他の業務執行取締役による適切なリスクテイクを支える環境整備を行うこと
> 　　三　独立した客観的な立場から、代表取締役その他の取締役等に対する実効性の高い監督を行うこと
> 3.　監査役が指名・報酬などに係る任意の諮問委員会等に参加する場合には、会社に対して負っている善管注意義務を前提に、会社の持続的な成長と中長期的な企業価値の向上のために適正に判断を行う。【Lv.3】

　上記のとおり、監査役監査基準13条2項では、監督機能として1号から3号までの事項が列挙されているが、これは、取締役会の監督機能の中には、監査役がその一部を担うことが期待されているものも含まれているとの理解を前提としたものと考えられる。なお、本条項は監査役の職務、特に法律上の職務を加重する趣旨ではなく、あくまで監査役がその職責の範囲内で監督機能の一部を担うことを求めるものであり、また、法的な義務ではなく、ベストプラクティスの観点から期待される事項であると整理されている[注3]。

　なお、2021年改訂により、本原則において、監査役および監査役会が、監査役の選解任に係る権限の行使の役割・責務を担うことが明記された。これは、会社法上、監査役の選任と報酬について監査役会に広範な権限が付与されているにもかかわらず、実際には、監査役の候補者や個別報酬額を執行側が提案している例が大半を占めて形骸化しているとの指摘があったことを踏まえ、監査役の信頼性の確保のために監査役が独立した客観的な立場から適切な判断を行うことが重要であり、こうした観点から、監査役が監査役会の同意などの適切な手続を経て選任されることを求めるものである[注4]。

(注1)　油布ほか〔Ⅲ〕42頁。
(注2)　また、14条では、監査役に対し、中長期目線の株主等と対話を行う場合において関連部署と連携して合理的範囲内で適切に対応すること等が求められている。
(注3)　田中亘ほか「《第81回監査役全国会議》全体会 攻めのガバナンスと監査の実効性—監査制度間の比較を踏まえて—」月刊監査役649号(2016)36頁〔田中亘教授発言〕。
(注4)　2021年改訂提言Ⅱ.4.(2)。

Q101 受託者責任の認識とは何をすればよいのか。

●解説　　　　　　　　　　　　　　　　　　　　　　　　　　原則 4-5

　原則 4-5 は、上場会社の取締役・監査役および経営陣に対し、それぞれの株主に対する受託者責任を認識し、ステークホルダーとの適切な協働を確保しつつ、会社や株主共同の利益のために行動することを求める。

　コード原案において、会社は、受託者責任をはじめ、さまざまなステークホルダーに対する責務を負っていることを認識して運営されることが重要であるとされ、ここでいう「受託者責任」とは、「株主から経営を付託された者としての責任」を意味するものとされている（コード原案の序文7項）。

　本原則は、こうしたコード原案の趣旨を踏まえ、上場会社の取締役・監査役および経営陣に対して、会社のさまざまなステークホルダーの利益に配慮することを求めつつも、特に株主に対する責務を認識することを期待する趣旨で設けられたものと考えられる。そのため、本原則への対応は、上場会社の取締役・監査役および経営陣が、その職務遂行全般において、株主に対する受託者責任を十分に認識することに尽き、それを超えて、本原則への対応のためだけに特別な行動をすることまでを求められるものではないと考えられる。

Q102 業務の執行と一定の距離を置く取締役の活用についての検討とは何が求められるのか。

●解説　　　　　　　　　　　　　　　　　　　　　　　　原則 4-6

　原則 4-6 は、業務の執行と一定の距離を置く取締役の活用について、検討を求める。

　これは、経営の監督における取締役会の独立性・客観性をより確保する観点からは、業務の執行から一定の距離を置く非業務執行取締役の活用を図ることが期待されるところ、上場会社に対し、こうした取締役の活用について検討することを求め、いわば「経営の監督と執行の分離」の推進についての検討を促すものであると考えられている[注]。

　上記の趣旨に鑑みれば、本原則は、独立社外取締役とは別に非業務執行取締役の選任を要求するものではないと考えられる。また、業務の執行と一定の距離を置く取締役の「活用について検討」することを求めるものであるため、独立社外取締役を含め非業務執行取締役が一切選任されていなかったとしても、本原則との関係では、必ずしもエクスプレインが要求されるものではないと考えられる。

（注）油布ほか〔Ⅳ〕46 〜 47 頁。

Q103 独立社外取締役の資質・適任者についてのコードの考えは。

●解説　　　　　　　　　　　　　　　　　　　原則4-7、補充原則4-11①

　原則4-7は、独立社外取締役に期待される役割・責務について、(i)「経営の方針や経営改善について、自らの知見に基づき、……助言を行うこと」、(ii)「経営の監督を行うこと」、(iii)「利益相反を監督すること」、(iv)「ステークホルダーの意見を取締役会に適切に反映させること」と整理する。

　本原則については、まず第1に(i)の助言機能に係る役割・責務を記載したことに留意すべきとされている(注1)。そして、この「助言」が「自らの知見に基づき」行われることが想定されていることからすれば、本原則は、独立社外取締役の資質に関して、会社経営についての知見をどの程度有しているかが重要な考慮要素の1つとなり得ることを示唆している(注2)。また、(ii)の経営の監督については、主として経営者の指名・報酬といった人事に関して監督することが想定されているところ、どのような資質を有する者が経営者として適任なのか、どのような内容の報酬が経営者のインセンティブを高めるのか等について、適切な判断が可能か否かが考慮要素となり、他社を経営した経験があり、自らの経験から判断することも可能な点は重要な考慮要素の1つとなり得ることを示唆している。

　以上の点を踏まえれば、会社経営の経験者は、上記助言の観点と、監督の観点の両面から、コードが求める独立社外取締役の適任者であるということができるであろう。

　さらに、2021年改訂により、補充原則4-11①に、「独立社外取締役には、他社での経営経験を有する者を含めるべきである。」と追記されたとおり、独立社外取締役のうち、少なくとも1名は、他社での経営経験を有する者を含むことが求められることとなった。なお、ここでいう「他社での経営経験を有する者」とは、CEO等に限られるものではない(注3)。その範囲はプリンシプルベース・アプローチの下で、各社の合理的な判断に委ねられているが、独立社外取締役には、企業が経営環境の変化を見通し、経営戦略に反映させる上で、より重要な役割を果たすことが求められることを踏まえれば(注4)、他社の代表者や会長といった役職を経験していない取締役・執行役等の経験者であっても、コードが求める役割を果たすのに適切な資質等を有する人物と判断できるのであれば、問題ないといえよう(注5)。例えば、副社

長・常務・専務や、いわゆる役付き取締役は、通常、「他社での経営経験を有する者」に当たると考えられる。

（注 1） 油布ほか〔Ⅳ〕47 頁。
（注 2） 油布ほか〔Ⅳ〕56 頁注 50。
（注 3） 2021 年改訂提言Ⅱ.1.脚注 1、2021 年コード改訂パブコメ 112 〜 113 番。
（注 4） 2021 年改訂提言Ⅱ.1.。
（注 5） フォローアップ会議（第 21 回）議事録〔岡田譲治メンバー発言、小林喜光メンバー発言〕、2021 年コード改訂パブコメ 116 〜 117 番。

> **Q104** プライム市場上場会社が過半数（その他の市場の上場会社では、少なくとも3分の1以上）の独立社外取締役の選任が必要と考える場合、何が求められるのか。

●解説　　　　　　　　　　　　　　　　　　　　　　　　　原則4-8

　原則4-8は、第1文において、プライム市場上場会社には少なくとも3分の1以上の独立社外取締役の選任を求め、その他の市場の上場会社には少なくとも2名以上の独立社外取締役の選任を求めるとともに、第2文において、過半数の独立社外取締役を選任することが必要と考えるプライム市場上場会社、および少なくとも3分の1以上の独立社外取締役を選任することが必要と考えるその他の市場の上場会社には、第1文にかかわらず、十分な人数の独立社外取締役を選任すべきであるとしている。

　2018年改訂では、市場区分による区別は設けられていなかったが、2021年改訂では、新市場区分移行後の各市場のうち、特にプライム市場については、「我が国を代表する投資対象として優良な企業が集まる……市場」として高い水準のガバナンスが求められることから、取締役会の構成についても、より高い比率の独立社外取締役の選任を求めるよう改訂された(注1)。

　上場会社は、「業種・規模・事業特性・機関設計・会社をとりまく環境等を総合的に勘案」して、第2文の適用を受けるかどうかを自ら選択することになる。第2文は、あくまで自主的な取組みを促すものであり、自主的な判断により、プライム市場上場会社において過半数（その他の市場の上場会社においては、少なくとも3分の1以上）の独立社外取締役を選任することが必要と考えるのでなければ、そもそも第2文は適用されない。この場合には、そのように考えない（第2文の適用を選択しない）理由も含めて、第2文に係るエクスプレインは不要である(注2)。

　なお、プライム上場市場向けの原則等を踏まえたガバナンス報告書は、2022年4月4日以降に最初に開催される定時株主総会の終了後、遅滞なく提出する必要があるが、原則4-8におけるプライム上場会社向けの内容は、その提出時点で選任等がされていなくても、次の定時株主総会時に選任を予定している等、今後の選任方針が確定している場合には、独立社外取締役の選任予定人数や選任予定時期等の具体的な内容について、「Ⅱ　経営上の意思決定、執行及び監督に係る経営管理組織その他のコーポレート・ガバナン

ス体制の状況　■3．現状のコーポレート・ガバナンス体制を選択している理由」欄に記載することも可能である(注3)。この場合において、改訂後のコードの原則 4-8 以外の各原則について、全てを実施している場合には、「全ての原則を実施予定です（今後の予定については○○ページをご参照ください。）」と記載することが考えられるとされている(注4)。

　2021 年改訂対話ガイドライン 3-8 においては、「必要な資質を有する独立社外取締役が、十分な人数選任されているか。」との点に加えて、「必要に応じて独立社外取締役を取締役会議長に選任することなども含め、取締役会が経営に対する監督の実効性を確保しているか。」との点も示されており、これらの点について、投資家と上場会社との間で対話が行われることが期待されている(注5)。

(注1)　2021 年改訂提言Ⅱ.1.。
(注2)　2018 年コード改訂パブコメ回答 159〜174 番。
(注3)　2021 年コード改訂パブコメ回答 84 番。
(注4)　ガバナンス報告書記載要領Ⅰ.1.(1)。
(注5)　2021 年改訂提言Ⅱ.1.。

Q105 独立社外者のみを構成員とする会合に社内出身の監査役を参加させてはいけないのか。

●解説　　　　　　　　　　　　　　　　　　　　　　　　　　補充原則4-8①

　補充原則4-8①は、独立社外取締役は、独立社外者のみを構成員とする会合を定期的に開催するなど、独立した客観的な立場に基づく情報交換・認識共有を図るべきとする。本補充原則は、独立社外取締役を複数名設置すればその存在が十分に活かされる可能性が大きく高まる（コード原案の原則4-8の〔背景説明〕）との考え方を踏まえ、他の独立社外者との情報交換・認識共有を図ることにより、独立社外取締役間において率直かつ有益な意見の形成・共有がなされ、独立社外取締役が取締役会における議論に積極的に貢献することを期待するものである(注1)。

　独立社外者のみを構成員とする会合の定期的な開催は例示であるが、独立社外者による「独立した客観的な立場に基づく」情報交換・認識共有のための自由闊達な議論の場を確保するための一方法とされているため、社外役員としての独立性を有しない社内出身の監査役を会合の構成員とすることは、本補充原則の趣旨に反するおそれがある。他方で、社内事情に精通した社内監査役その他の社内者からの情報収集は、情報交換・認識共有という会合の目的に沿うことも考えられる。したがって、会合を開催する独立社外取締役の自主的な判断により、社内監査役その他の社内者に対して随時会合への参加や説明を求めること等は、許容される(注2)。

（注1）油布ほか〔Ⅳ〕48頁。
（注2）金融庁パブコメ回答9番。

> **Q106** 独立した客観的な立場に基づく情報交換・認識共有の方法として、独立社外者のみを構成員とする会合の開催以外にどのようなものがあるか。

●解説　　　　　　　　　　　　　　　　　　　　　　　補充原則4-8①

　補充原則4-8①は、「独立社外者のみを構成員とする会合の定期的な開催」を例示するが（前記Q105参照）、補充原則4-8①をコンプライする方法はこれに限られず、プリンシプルベース・アプローチの下、各社の合理的な判断に委ねられる。

　たとえば、独立社外者を補佐する一定の独立性のある事務局（取締役事務局等）を設置した上で、事務局を通じて情報を収集し、独立社外者間の情報交換・認識共有を図ることも考えられる。

Q107 情報交換・認識共有の相手方は独立社外取締役に限定されるのか。

●解説　　　　　　　　　　　　　　　　　　　　　　　　　　補充原則4-8①

　補充原則4-8①は、独立社外取締役が、取締役会における議論に積極的に貢献するとの観点から、独立した客観的な立場に基づく情報交換・認識共有を図ることを求める。

　本補充原則の趣旨については、他の独立社外者との情報交換・認識共有を図ることにより、独立社外取締役間において率直かつ有益な意見の交換・共有（コンセンサス作り）がなされ、取締役会における議論に積極的に貢献できる可能性が高まることを期待するものと説明されている(注)。

　このように、本補充原則は、プライム市場上場会社においては、3分の1以上（その他の市場の上場会社においては、2名以上）の独立社外取締役の選任を求める原則4-8を受けて、複数の独立社外取締役間における意見の交換・共有を基本的に想定したものと解されるが、その目的は、あくまで独立社外取締役が取締役会における議論に積極的に貢献できるようにすることにあり、かかる目的のために独立性および客観性を害さない範囲で情報交換・認識共有を行うよう求めるものと考えられる。

　そのため、かかる目的のための情報交換・認識共有であれば、その相手方を独立社外取締役に限定する合理性はなく、たとえば、独立社外監査役等の独立性のある会社関係者を相手方として情報交換等を行うことにより、本補充原則をコンプライしたと整理する余地もあるように思われる。

――――――――――――

（注）油布ほか〔Ⅳ〕48頁。

Q108 筆頭独立社外取締役を決める必要があるか。

●解説　　　　　　　　　　　　　　　　　　　　　　　　補充原則4-8②

　補充原則4-8②は、独立社外取締役は、経営陣との連絡・調整や監査役または監査役会との連携に係る体制整備を図るべきとし、そのための方策の一例として、互選により「筆頭独立社外取締役」を決定することを挙げている(注1)。

　「筆頭独立社外取締役」とは、英米でいうリード・インディペンデント・ディレクターやシニア・インディペンデント・ディレクターに対応する役職であるとされており(注2)、これが本補充原則に例示されている趣旨は、独立社外取締役間の序列をつけることにあるのではなく、経営陣との調整や監査役との連携といったデリケートで骨の折れる仕事について、第1次的にこれらを担当する者を決定し、責任を持ってその任に当たってもらうことにある(注3)。

　したがって、経営陣や監査役との連絡窓口としての役割を担う独立社外取締役が存在すれば、その者に「筆頭独立社外取締役」との特別な名称を付する必要はなく、その他の方法も含め、調整や連携に係る体制整備が図られればよい。たとえば、独立社外取締役を取締役会議長とし、経営陣や監査役との連携を図ることも1つの方策といえよう。

　なお、2021年改訂対話ガイドラインにおいて、4-4-1として、「株主との面談の対応者について、株主の希望と面談の主な関心事項に対応できるよう、例えば、『筆頭独立社外取締役』の設置など、適切に取組みを行っているか。」との一文が追記され、筆頭独立社外取締役に期待される役割として、株主との面談対応も含まれ得ることが示された。機関投資家と独立社外取締役との建設的な対話を進める観点からも、筆頭独立社外取締役の設置について、機関投資家との対話等を通じた検討が行われることが期待されている。

(注1) 油布ほか〔Ⅳ〕48頁。金融庁「コーポレートガバナンス・コード原案　主なパブリックコメント（英文）の概要及びそれに対する回答」（2015年3月5日）7番も、筆頭独立社外取締役が例示にとどまることを前提としている。
(注2) 油布ほか〔Ⅳ〕48頁。
(注3) 油布ほか〔Ⅳ〕48頁。

Q109 特別委員会の構成・設置についてコードは何を求めているか。

●解説　　　　　　　　　　　　　　　　　　　　　　　補充原則4-8③

　2021年改訂により補充原則4-8③が新設され、支配株主を有する上場会社は、取締役会において支配株主からの独立性を有する独立社外取締役を少なくとも3分の1以上（プライム市場上場会社においては過半数）選任するか、または支配株主と少数株主との利益が相反する重要な取引・行為について審議・検討を行う独立社外取締役を含む独立性を有する者で構成された特別委員会を設置する必要があることとなった。

　かかる特別委員会は、独立性を有する者のみで構成されている必要があると考えられる[注1]。ここでいう「独立性」とは、上場会社からの独立性と、支配株主からの独立性の双方を備えている必要があると考えられるが[注2]、プリンシプルベース・アプローチの下、必ずしも、金融商品取引所の定める独立性基準にいう独立性に限定されないと解することは可能である。また、「独立性を有する者」には、独立社外取締役のほかにも、上場会社および支配株主の双方からの独立性を有する有識者も含むと考えられる。他方で、「独立社外取締役を含む」とされていることから、コンプライといえるためには、特別委員会に少なくとも1名以上の独立社外取締役を含む必要があり、独立性を有する有識者のみで構成された特別委員会を設置することでは、コンプライとはいえないことに留意が必要である。

　ただし、特別委員会は、必ずしも常設とする必要はなく、利益相反のある重要な取引・行為が行われる都度必要に応じて設置することでも足り、常設とするか、都度設置するかは、各社の合理的な判断に委ねられている[注3]。なお、特別委員会の権限については、各社において、適切に判断することが求められるが、審議・検討に限らず、重要な取引・行為に際しての交渉権限を含めることも考えられる[注4]。なお、利益相反のリスクに対処する観点からは、特別委員会の委員の氏名等を開示することも考えられる[注5]。

　2021年改訂提言では、支配株主に準ずる支配力を持つ支配株主（支配的株主）についても補充原則4-8③を基にした対応が望まれるとの考えが示されている[注6]。支配的株主とは、上場会社に対する持株割合が、20〜25％程度以上の会社を指すとの意見もあるため[注7]、該当する可能性のある上場会社においては留意が必要である。

なお、補充原則4-8③をコンプライするためには、補充原則4-8③において示されている2つの方策のうちいずれかを採用する必要があるが、一方で、支配株主を有する上場会社の対応として、自社の個別事情に応じて本補充原則を実施することが適切でないと考える場合には、実施しない理由を十分に説明したうえで、実施しないこととすることも想定されている[注8]。

（注1）2021年コード改訂パブコメ回答428〜430番。
（注2）フォローアップ会議（第23回）議事録〔佃秀昭メンバー発言〕。
（注3）2021年コード改訂パブコメ回答428〜430番。
（注4）2021年コード改訂パブコメ回答433番。
（注5）2021年コード改訂パブコメ回答434番。
（注6）2021年改訂提言Ⅱ.4.(1)。
（注7）フォローアップ会議（第23回）議事録〔三瓶裕喜メンバー発言〕。
（注8）2021年コード改訂パブコメ回答422番。

Q110 独立社外取締役の要件は何か。

●解説　　　　　　　　　　　　　　　　　　　　　　　原則 4-9

　コードは、独立社外取締役の定義を置いていない。社外取締役の要件は、会社法において定められていることから、当該要件は満たす必要があると考えられるが、「独立」社外取締役といえるための要件は、コードには明示されていない。

　もっとも、原則 4-9 は、取締役会が、金融商品取引所が定める独立性基準を踏まえ、独立性判断基準を策定・開示すべきであるとしており（後記 Q111 参照）、本原則にコンプライして独立性判断基準を策定した場合には、かかる基準を満たす取締役を独立社外取締役として取り扱うことが考えられる。

Q111 独立性判断基準は金融商品取引所の独立性基準と同じではだめか。

●解説 原則4-9

　原則4-9は、取締役会は、金融商品取引所が定める独立性基準を踏まえ、独立社外取締役となる者の独立性をその実質面において担保することに主眼を置いた独立性判断基準を策定・開示すべきとする。

　社外役員の独立性に関しては、金融商品取引所が独立性基準をすでに定めているところである(注1)。本原則は、金融商品取引所が定める独立性基準をミニマム・スタンダードと位置づけた上で(注2)、各社に対して、独立社外取締役となる者の独立性をその実質面において担保することに主眼を置いた自社に最適な独立性判断基準の策定を求めるものである。

　独立性判断基準の内容は、第1次的には各社の判断に委ねられる(注3)。したがって、個社の事情を踏まえて検討した結果、独立性を実質面において担保するための自社に最適な基準が金融商品取引所が定める独立性基準と合致するとの判断をすることも、必ずしも否定されるものではないと考えられる。

　ただし、前記のとおり、金融商品取引所が定める独立性基準がミニマム・スタンダードと整理されたことに加え、金融商品取引所が定める独立性基準のうち抽象的で解釈に幅のある点について、各社がその個別事情を踏まえて適切に当てはめを行うことは適切であるという本原則の考え方に照らせば、金融商品取引所が定める独立性基準のうち、たとえば、「主要な取引先」といった抽象的な基準について、より明確・具体的な基準（たとえば、取引金額やその全体に占める割合等の水準）を定めることが望ましい場合もあり得る(注4)。もっとも、「主要な取引先」は、会社法に基づく事業報告の記載事項を画する概念であり（会社法施行規則2条3項19号ロ）、事業報告に係る実務においても、具体的な運用がなされてきているものである。

(注1) 東証「上場管理等に関するガイドライン」Ⅲ5.(3)の2。
(注2) 金融庁パブコメ回答10番は、「金融商品取引所が定める独立性基準によりその独立性が否定される者は『独立社外取締役』には該当しない」としている。
(注3) 油布ほか〔Ⅳ〕48頁は、「各上場会社においては、独立性の有無についての実質的な判断に資するよう、金融商品取引所が定める独立性基準を踏まえつつ、その個別事

情に応じた自社に最適の独立性判断基準を策定することが求められる」としている。
(注4) 油布ほか〔Ⅳ〕48頁、2018年コード改訂パブコメ回答177〜179番。

Q112 独立役員に指定しない社外取締役は独立社外取締役に該当しないのか。

●解説　　　　　　　　　　　　　　　　　　　　　　　　　　　原則 4-9

　各金融商品取引所は、独立役員（一般株主と利益相反の生じるおそれのない社外取締役または社外監査役）を1名以上確保して届け出ることを上場会社に求めるとともに（有価証券上場規程436条の2等）、独立性の判断に係る基準（独立性基準）を定めている（東証「上場管理等に関するガイドライン」Ⅲ5.(3)の2等）。かかる独立性基準に抵触する場合には、独立役員として届け出ることができないが、独立性基準を満たす社外役員が複数存在する場合には、その全員を独立役員として届け出なければならないわけではないとされている。そのため、金融商品取引所の独立性基準は満たすものの独立役員には指定されていないという社外取締役も存する。

　この点、コードにいう独立社外取締役は、金融商品取引所が定める独立性基準は満たす必要があるが、その点さえ確保されていれば、金融商品取引所に対して現実に独立役員として届出を行っている者であることは必ずしも要しないものとされている[注]。

―――――――――――
（注）金融庁パブコメ回答10番。

Q113 指名・報酬などの特に重要な事項に関する検討に当たり、独立した指名委員会および報酬委員会を設置する必要があるか。

● 解説　　　　　　　　　　　　　　　　　　原則 4-10、補充原則 4-10 ①

　原則 4-10 は、上場会社は、必要に応じて任意の仕組みを活用することにより、統治機能の更なる充実を図るべきとする。これを受けて、補充原則 4-10 ①は、上場会社が監査役会設置会社または監査等委員会設置会社であって、独立社外取締役が取締役会の過半数に達していない場合には、取締役会の下に「独立した指名委員会・報酬委員会を設置することにより」、指名（後継者計画を含む）・報酬などの特に重要な事項に関する検討に当たり、ジェンダー等の多様性やスキルの観点を含め、これらの委員会の適切な関与・助言を得るべきであるとしている。2021 年改訂対話ガイドライン 3-2 および 3-5 においても、経営陣・CEO の選任および報酬の決定に際して「独立した指名委員会」「独立した報酬委員会」が「必要な権限を備え」、活用されているか、という観点が掲げられている。

　本補充原則は、経営陣幹部・取締役の指名・報酬は、企業統治の根幹をなすことから、最低限これらの事項について独立社外取締役を主要な構成員とする独立した指名委員会・報酬委員会の適切な関与・助言を得ることを求めるものであると考えられる[注1]。

　もともと 2018 年改訂前コードでは、任意の諮問委員会の設置はあくまでも例示であったが、2018 年改訂コードでは、「例えば」「など」との文言が削除され、本補充原則をコンプライする上では、「任意の指名委員会・報酬委員会など、独立した諮問委員会」の設置が必須である旨変更された[注2]。この点、2021 年改訂によって、さらに「任意の」「など」「諮問委員会」の文言が削除され「独立した指名委員会・報酬委員会」の設置に表現が改められた。これは、取締役会から独立して、指名・報酬を検討する実質を有する委員会でなければならないことを明確にする趣旨で改訂されたものであり[注3]、必ずしも委員会の名称の変更等を求めるものではない。一方で、かかる改訂の趣旨に鑑みれば、例えば、指名・報酬を検討する実質を有しない、抽象的にガバナンスについて検討するような諮問委員会の設置は、本補充原則のコンプライとはならないと考えられる。

　なお、2021 年改訂の趣旨に照らせば、指名に関する事項と報酬に関する

事項の検討をいずれも実効的に行える実質が備わっているのであれば、必ずしも任意の指名委員会と報酬委員会とを、別の委員会として設置することが必須とまでは考えられない。もっとも、フォローアップ会議では、任意の指名委員会と報酬委員会とでは果たすべき機能・役割が異なるため、指名委員会と報酬委員会について書き分ける形でコードを精緻化していく必要があるといった意見も出された[注4]。かかる議論を踏まえれば、指名委員会と報酬委員会とを兼ねる1つの諮問委員会を設置する場合には、委員会の構成や運営の方法、委員会の権限、役割等について、より丁寧に開示することが望ましいと思われる。

（注1）油布ほか〔IV〕56頁注53参照。
（注2）フォローアップ会議（第15回）議事録〔田原泰雅金融庁総務企画局企業開示課長発言〕。
（注3）フォローアップ会議（第21回）議事録〔神作裕之メンバー発言、三瓶裕喜メンバー発言〕。
（注4）フォローアップ会議（第21回）議事録〔神作裕之メンバー発言〕。

Q114 「独立した指名委員会・報酬委員会」に求められる独立性とは何か。

●解説　　　　　　　　　　　　　　　　　　　原則4-10、補充原則4-10①

　補充原則4-10①は、上場会社が監査役会設置会社または監査等委員会設置会社であって、独立社外取締役が取締役会の過半数に達していない場合には、「独立社外取締役を主要な構成員とする独立した指名委員会・報酬委員会」を設置し、適切な関与・助言を得るべきとしている。

　本補充原則の「独立した」の意義については、指名委員会・報酬委員会に求められる役割や、原則4-7(iv)において独立社外取締役が「経営陣・支配株主から独立した立場」でその役割・責務を果たすことを求められている趣旨を踏まえ、CEO等の参加の是非を含めて、各社において実質的に判断されるべきものとされている(注1)。「独立した社外取締役を主要な構成員とする」との例示自体における「主要な」の意義についても、プリンシプルベース・アプローチの下、独立社外取締役の人数や割合、委員長の属性等の具体的な内容については、本補充原則の趣旨を踏まえて各社において合理的に判断されるべきものとされている(注2)。したがって、構成面での独立社外取締役の人数や割合のみをもって（たとえば独立社外取締役が全員や過半数に満たないからといって）、一律に本補充原則にいう指名委員会・報酬委員会に該当しないものとして扱う必要はないと考えられる。

　本補充原則は指名委員会・報酬委員会の経営陣からの「独立」性を求めているところ、実質面での工夫によって、当該「独立」性がどのように確保されているかについて、各社での整理・検討が必要となる。独立社外取締役の割合が少ない場合にも、たとえば、独立社外取締役が委員長を務めることとすることや、または社外監査役を加えて社外役員が過半数となる構成とすること、あるいは決議要件として独立社外取締役の同意が必要とする等の実質面での工夫によって、「独立社外取締役を主要な構成員とする」ものと整理する余地もある(注3)。

　特に、補充原則4-10①において、プライム市場上場会社では、上場会社が監査役会設置会社または監査等委員会設置会社であって、独立社外取締役が取締役会の過半数に達していない場合には、各委員会の構成員の過半数を独立社外取締役とすることが基本とされている。もっとも、その点も「過半数を……『基本とし』」との文言が示すとおり、例えば、各委員会の構成員

について、社外取締役と社内取締役が半数ずつであったとしても、各委員会の委員長が社外取締役の場合には、コンプライと扱う余地はある[注4]。ただし、この場合は、委員会の独立性に関する考え方について、より丁寧に開示する必要があると考えられる。

　なお、補充原則4-10①において、特にプライム市場上場会社は、その委員会構成の独立性に関する考え方・権限・役割等を開示するべきとされているところ、「権限・役割等」には、委員の氏名や活動状況等も含まれ得ると考えられる[注5]。

(注1) 2018年コード改訂パブコメ回答113～115番。
(注2) 2018年コード改訂パブコメ回答113～115番。
(注3) コーポレート・ガバナンス・システムに関する実務指針93～95頁参照。
(注4) フォローアップ会議（第26回）議事録〔上田亮子メンバー発言〕、2021年コード改訂パブコメ回答156～159番。
(注5) 2021年コード改訂パブコメ回答160～163番。

Q115 監査等委員会を独立した指名委員会・報酬委員会に代替するものとして利用することは補充原則4-10①のコンプライとなるか。

● 解説　　　　　　　　　　　　　　　　原則4-10、補充原則4-10①

　コードの策定時の「背景説明」においては、補充原則4-10①について、監査等委員会設置会社である場合には、取締役の指名・報酬について株主総会における意見陳述権が付与されている監査等委員会を活用することが考えられる旨の指摘があり(注1)、フォローアップ会議においても、補充原則4-10①が設置を求める「独立した指名委員会・報酬委員会」として監査等委員会を活用することも選択肢としてあり得るとして、その趣旨が確認されている(注2)。したがって、監査等委員会を独立した指名委員会・報酬委員会に代替するものとして利用することは、補充原則4-10①のコンプライとなる余地がある(注3)。

　もっとも、コードの「背景説明」において監査等委員会を活用することが議論されていたこと自体、翻せば、監査等委員会設置会社においても原則として任意の指名委員会・報酬委員会の設置が求められていたことが示されているのであって、一つの委員会において補充原則4-10①に示されている特に重要な事項の検討を行うことが可能であるのか、また、適当であるのかという点について、適切に検討が行われるべきである(注4)。

　なお、フォローアップ会議においては、任意の指名委員会と報酬委員会とでは果たすべき機能・役割が異なるといった意見(注5)も出されたことを踏まえると、任意の指名委員会と報酬委員会の双方を監査等委員会で代替しようとする場合には、本来の職務である監査に関する事項に加え、指名に関する事項と報酬に関する事項の検討をいずれも実効的に行える実質が備わっていることは必要であり、また委員会の構成や運営の方法、委員会の権限、役割等について、より丁寧に開示することが望ましいと思われる。

(注1) コード原案・補充原則4-10①「背景説明」。
(注2) フォローアップ会議（第15回）議事録〔武井一浩メンバー発言〕。
(注3) 田原ほか10頁。
(注4) 田原ほか10～11頁は、「一つの委員会において同補充原則に示されている特に重要な事項の検討を行うことが可能であるのか、また、適当であるのかとの点について、適切に検討が行われるべきものと考えられる。また、これらの特に重要な事項の検討に

際して、諮問委員会が実効的にその役割を果たすことができるよう、委員の構成や委員会の権限などについても、適切に検討が行われるべきと考えられる。」としている。
(注5) フォローアップ会議（第21回）議事録〔神作裕之メンバー発言〕。

Q116 取締役会の実効性を確保するために何が求められるか。

●解説　　　　　　　　　　　　　　　　　　　　　　　　　　原則 4-11

　原則 4-11 は、取締役会の実効性確保の前提条件として、①知識・経験・能力の全体としてのバランスや、ジェンダー、国際性、職歴、年齢の面を含む多様性と適正規模との両立と、②実効性に関する分析・評価の実施を要請する。そして、補充原則 4-11 ①ないし補充原則 4-11 ③が、そのために上場会社が講じるべき具体的な措置の内容を定めている。

　すなわち、上記①の観点より、補充原則 4-11 ①は、経営戦略に照らして自らが備えるべきスキル等を特定した上で、取締役会の全体としての知識・経験・能力としてのバランス、多様性および規模に関する考え方を定め、各取締役の知識・経験・能力等を一覧化したスキル・マトリックスをはじめ、経営環境や事業特性等に応じた適切な形で取締役の有するスキル等の組み合わせを取締役の選任に関する方針・手続と併せて開示することを求める。なお、ここにいう「取締役の選任に関する方針・手続」とは、原則 3-1(iv)の方針と手続と同義であるとされている(注1)。

　また、補充原則 4-11 ②は、社外取締役をはじめ、取締役は、その役割・責務を適切に果たすために必要となる時間・労力を取締役の業務に振り分けるべきとして、そのために他社との兼任等を合理的な範囲にとどめるとともに、その兼任状況を毎年開示することを求める。兼任等の「合理的な範囲」について、一律に兼任数等の基準を設けていないのは、その解釈を当該取締役の良識に委ねる趣旨であるとされている(注2)。

　さらに、上記②の観点より、補充原則 4-11 ③は、取締役会に対し、毎年、各取締役の自己評価等も参考にしつつ、取締役会全体の実効性について分析・評価を行い、その結果の概要を開示することを求める。この取締役会全体の実効性についての分析・評価の方法や、開示する結果の概要の内容については、各上場会社の合理的な判断に委ねられている(注3)。

　なお、2018 年改訂コードの原則 4-11 において多様性の例として明記されていたのは、「ジェンダーや国際性」のみであったが、2021 年改訂において、「職歴」および「年齢」が追記された。

(注1) 油布ほか〔Ⅳ〕50頁。
(注2) 油布ほか〔Ⅳ〕50頁。
(注3) 油布ほか〔Ⅳ〕51頁。

Q117
取締役会に、女性取締役や外国人取締役、他社での経営経験者等がいないと原則4-11はエクスプレインが必要か。

●解説　　　　　　　　　　　　　　　　　　　　　　　　原則4-11

　原則4-11は、取締役会の実効性確保の前提条件として、「ジェンダーや国際性、職歴、年齢の面を含む」多様性と適正規模の両立に言及している。これは、取締役会が機能を果たす上で、多様な視点や価値観の存在が不可欠であることに鑑み、本原則記載の面から多様性が確保されることが重要である旨明確化する趣旨で、設けられたものである(注1)。

　2018年コード改訂パブコメ回答は、コードが、上場会社の置かれた状況が多様であることに鑑み「コンプライ・オア・エクスプレイン」の手法を採用していることを踏まえ、それぞれの上場会社の置かれた状況により、ジェンダーや国際性についての多様性を確保することが必要でないと考える場合には、その理由を説明することとなる旨指摘している(注2)。

　もっとも、たとえば、ジェンダーに関して多様性を確保することが必要とは考えるものの、取締役の人数が限定的であるところ、ジェンダーや取締役の人数・規模も含めてさまざまな要素を勘案した結果、その中に女性が含まれなかったといった場合には、女性取締役が選任されていないからといって、常にエクスプレインが必要とまではいえないものと考えられる。

　国際性については、なおさら、すべての上場会社に対して外国人取締役の選任を求めるものではないとも指摘されており(注3)、外国人取締役が採用されていないことをもって常にエクスプレインが必要となるとはいえず、取締役の職務経験・経歴等に照らして、国際性について多様性が確保されていると位置づける余地もあるものと思われる。

　なお、企業がコロナ後の不連続な変化を先導し、新たな成長を実現する上では、取締役会や経営陣において多様な視点や価値観を備えることが求められているとして、フォローアップ会議では、取締役会全体において確保されるべき多様性として「年齢」や「職歴」も要素として加えるべきとの指摘があった。これを踏まえ(注3)、2021年改訂によって、原則4-11には、ジェンダーや国際性に加え、「職歴、年齢」との文言が追記された。この点についても、プリンシプルベース・アプローチの下、「職歴」「年齢」の面での多様性が確保されているといえるか、各社の合理的な判断に委ねられていると考

えられる(注4)。

───────────

(注1) フォローアップ会議（第15回）議事録〔田原泰雅金融庁総務企画局企業開示課長発言〕。
(注2) 2018年コード改訂パブコメ回答127～134番。
(注3) 2021年コード改訂パブコメ回答142～146番。
(注4) なお、2021年コード改訂パブコメ回答142～146番によれば、「原則4-11における『職歴』は、例えば中途採用者の登用という意味では多様性の要素として機能する一方、他の会社における経験という意味では取締役のスキルの1つとして機能するものと考えます。」との指摘がある。

Q118 監査役に求められる知識・知見についてのコードの考え方は。

●解説 原則4-11

　原則4-11は、監査役には適切な経験・能力および必要な財務・会計・法務に関する知識を有する者が選任されるべきであり、特に、財務・会計に関する十分な知見を有している者が1名以上選任されるべきであるとする。

　ここでいう「必要な財務・会計・法務に関する知識」につき、フォローアップ会議の途上では高度に専門的な知見を意味するとの趣旨の意見もあったものの(注1)、最終的には、監査役が業務監査・会計監査等の期待される役割・責務を果たす上で必要と考えられる知識を指し(注2)、高度に専門的な知見ではなく、財務・会計に関する基本的な知識を指すものと整理された(注3)。

　また、「財務・会計に関する十分な知見」を有している者とは、会計監査人に監査を適切に実施させ、その監査の方法・結果の相当性を判断する際に役立つものであることが考えられるとされている(注4)。

　監査役の各個人に求められる上記知識および1名以上の監査役に求められる上記知見を有する者は、いずれも公認会計士資格等の財務・会計や法律に関する有資格者に限定されるわけではなく、会社実務で経験を積んでいる者等も含まれる(注5)。

　監査役の各個人に求められるのは基本的な知識であるところ、上場会社の経営者、特にCEOやCFOの経験者は、職務遂行のため不可避的にこれら知識を身に着けていると考えられることから、かかる経歴をもって監査役に必要な知識を具備していると判断することも基本的に合理性を有すると考えられる。

　また、1名以上の監査役に求められる「財務・会計に関する十分な知見」とは、事業報告書記載の「財務及び会計に関する相当程度の知見」(会社法施行規則121条9号)と同趣旨の定めであると考えられる。

(注1) フォローアップ会議（第11回）参考資料・冨山和彦メンバー「今回のフォローアップ会議で必ず議論すべき論点」。
(注2) 2018年コード改訂パブコメ回答191～195番。
(注3) フォローアップ会議（第14回）議事録〔田原泰雅金融庁総務企画局企業開示課長

発言〕。
(注4) フォローアップ会議（第15回）議事録〔田原泰雅金融庁総務企画局企業開示課長
　　発言〕、2018年コード改訂パブコメ回答191〜195番。
(注5) 2018年コード改訂パブコメ　回答191〜195番。

Q119 取締役の実効性を確保するためにスキル・マトリックスが必要か。

●解説　　　　　　　　　　　　　　　　　　　　　　　　　補充原則 4-11 ①

　補充原則 4-11 ①は、原則 4-11 に掲げられる取締役会の実効性確保のための措置として、経営戦略に照らして自らが備えるべきスキル等を特定した上で、取締役会全体としての知識・経験・能力としてのバランス、多様性および規模に関する考え方を定め、各取締役の知識・経験・能力等を一覧化したいわゆるスキル・マトリックスをはじめ、経営環境や事業特性等に応じた適切な形で取締役の有するスキル等の組み合わせを取締役の選任に関する方針・手続と併せて開示することを求める。また、その際、独立社外取締役には、他社での経営経験を有する者を含めるべきとする。なお、本補充原則は、単に経営戦略に照らして自らが備えるべきスキルの特定、各取締役の有するスキル等の開示をするのみならず、取締役会全体としての知識・経験・能力としてのバランス、多様性および規模に関する考え方の開示も求めていることに留意が必要である(注1)。

　補充原則 4-11 ①においては、経営戦略に照らしたスキル等を特定することが求めていることから、対象は社外取締役に限られず、社内取締役も対象となる。他方で、監査役については必ずしも対象とはされていないが、各社の事情に応じて監査役を対象に含めることもあり得ると指摘されている(注2)。

　「スキル・マトリックスをはじめ」との文言が示すとおり、スキル・マトリックスはスキル等の組み合わせを開示する方法の例示であり、必ずしもスキル・マトリックスという表形式による開示が必要なわけではない。スキル・マトリックスは「経営環境や事業特性等に応じた適切な形で取締役の有するスキル等の組み合わせ」を開示するための方法の例示であるため、プリンシプルベース・アプローチの下、スキル・マトリックス以外の方法によってもより分かりやすい開示が考えられる場合には、各社の合理的な判断により、スキル・マトリックス以外の方法による開示を行うことも想定されている(注3)。もっとも、簡明な他の方法が確立している状況でもないことから、スキル・マトリックスを利用する企業が大多数であることが想定される。

　わが国において、2021年改訂以前から、すでにスキル・マトリックスを活用し、当該表を招集通知に掲載している企業も多い(注4)。スキルの項目と

しては、取締役経験といった経営に関する事項、グローバル機関での経験といった国際性に関する事項、マーケティング・デジタル・金融・IT・生産・財務会計・科学技術といった諸分野の知識・経験に関する事項、政府機関等の知見・経験等に関する事項、取締役会への出席回数等などがみられるが(注5)、具体的にどのような項目を挙げるかは、各企業が、その業種、規模、事業特性、経営戦略等に照らし、同社の取締役会が備えるべきスキルが何かを特定した上での判断になると思われる。例えば、事業会社においては現場やテクノロジーに近い知見が重視される一方、持株会社ではポートフォリオ・トランスフォーメーションの実現に関する知見が重視される等、当該企業に必要なスキルの内容も異なることも指摘されている(注6)。

　また、独立社外取締役は、企業が経営環境の変化を見通し、経営戦略に反映させる上でより重要な役割を果たすことが求められることから、補充原則4-11①においては、独立社外取締役には特に他社での経営経験を有する者を含めるべきともされている。これに照らせば、他社での経営経験をスキルの項目として含めることも合理的であると考えられる。なお、ここでいう他社での経営経験とは、CEO等の経営者に限られるものではなく、その範囲については、プリンシプルベース・アプローチの下、各社の合理的な判断に委ねられている（前記Q103参照）。また、同補充原則は、独立社外取締役が備えるべきスキル等の内容が他社での経営経験に限られる旨述べるものではなく、他の取締役と同様、独立社外取締役の備えるべきスキル等の内容は、経営戦略に照らした各社の合理的判断により決せられるものである(注7)。

(注1) 2021年コード改訂パブコメ 回答96～106番、108番。
(注2) 2021年コード改訂パブコメ 回答109～111番。
(注3) 2021年コード改訂パブコメ 回答96～97番。
(注4) コーポレート・ガバナンス白書2021・123～125頁。なお、2021年コード改訂パブコメ 回答123～124番も、スキル・マトリックスの開示が株主総会資料において取締役の選任議案とともに開示されている場合が多い現状を指摘した上で、同補充原則はこのような現状の実務を否定するものではなく、株主総会資料において取締役選任議案とともにスキル等の組み合わせを開示する場合には、その旨および閲覧場所（ウェブサイトのURL等）をガバナンス報告書に記載することも考えられるとしている。
(注5) フォローアップ会議（第21回）資料4「取締役会の機能発揮と多様性の確保」5頁。
(注6) フォローアップ会議（第21回）議事録〔小林喜光メンバー発言〕。
(注7) 2021年コード改訂パブコメ 回答116番～121番。

Q120 兼任の制限を設けるべきか。

●解説　　　　　　　　　　　　　　　　　　　　　　　　補充原則 4-11 ②

　補充原則 4-11 ②は、取締役・監査役がその役割・責務を適切に果たすための時間・労力をその業務に振り向けるべきとの観点から、「他の上場会社の役員を兼任する場合には、その数は合理的な範囲にとどめるべきであり、上場会社は、その兼任状況を毎年開示すべきである」とする。

　有識者会議においては、適切な知識・経験・適性を持った独立社外取締役候補を探すことが困難な現状と、取締役会がその責務を有効に果たすための十分な時間を確保すべきこととのバランスの観点から、本補充原則に兼任の上限数といった数値基準を記載するかが議論された(注1)。しかし、「時期尚早」との意見も出され(注2)、「我が国においては今後の議論や実務の集積が必要な事項と考えられる」ことから、最終的には兼任数を「合理的な範囲にとどめるべき」と記載するにとどまり、数値基準の記載は見送られた(注3)。兼任数の「合理的な範囲」については、一律に数値基準を置く代わりに、その解釈を当該取締役・監査役の良識に委ねる手法がとられているのであって(注4)、制限をルール化するか否かも各社の合理的な裁量に委ねられている(注5)。

　なお、2021 年 3 月公表の東証による統計では、最大で 1 名が 7 社の独立社外取締役を兼任していることが報告されている(注6)。しかし、フォローアップ会議においても、兼任数が増えると取締役会の日程が重なる等して取締役としての責務を果たせないおそれがあるとして、4 社ないし 5 社の兼任が基準となる旨の指摘もされている(注7)。

　会社によって兼任制限の内容はさまざまであるが、社内取締役または社外取締役について兼任数を定める会社や、兼任先と競業関係がないこと、利益相反関係の可能性がないことまたは取締役会の承認を必要とすること等を条件として兼任を認める会社も存する。

(注1) 有識者会議（第 5 回）議事録〔油布志行金融庁総務企画局企業開示課長発言〕。
(注2) 有識者会議（第 5 回）議事録〔武井一浩メンバー発言〕。
(注3) 金融庁「コーポレートガバナンス・コード原案　主なパブリックコメント（英文）の概要及びそれに対する回答」（2015 年 3 月 5 日）9 番。

(注4) 油布ほか〔Ⅳ〕50頁。
(注5) なお、英国のコードでは、その業務執行取締役が兼任をするためには取締役会による事前の承認と年次報告書への兼任の理由の記載が必要とされており、また、業務執行取締役は、FTSE100会社の2社以上の非業務執行取締役やその他の重要な役職を引き受けるべきではないとされている（Section2, Provisions15）。
(注6) コーポレート・ガバナンス白書2021・128頁（図表118）。
(注7) フォローアップ会議（第2回）議事録〔西山賢吾メンバー発言〕。

Q121 取締役・監査役の兼任状況の開示は事業報告・株主総会参考書類以上のものが必要か。

●解説　　　　　　　　　　　　　　　　　　　　　　　　補充原則4-11 ②

　補充原則4-11 ②は、取締役・監査役が他の上場会社の役員を兼任する場合には、上場会社は、その兼任状況を毎年開示すべきであるとする。

　本補充原則は、取締役会および監査役会の実効性確保のための前提条件として、取締役・監査役が、その役割・責務を適切に果たすために必要となる時間・労力を確保する必要があることを踏まえ、株主が取締役・監査役を評価する上での重要な判断材料として、その兼任状況の開示を求めるものである(注1)。ただし、「他の上場会社の役員を兼任する場合には」とされていることからすれば、すべての兼任状況の開示が求められるわけではなく、開示が求められるのは、他の上場会社の役員との兼任状況に限られるものと考えられる。

　取締役・監査役については、会社法上、事業報告において「重要な兼職の状況」の記載が必要とされており（会社法施行規則119条2号、121条8号）、株主総会参考書類でも、選任対象の取締役・監査役については、「重要な兼職」に該当する事実の記載が必要とされている（同施行規則74条2項2号、76条2項2号）。事業報告や株主総会参考書類では重要性の限定がかかっているが、他の上場会社の役員との兼任状況は記載している場合が多く、また、事業報告・株主総会参考書類の観点から重要性のない兼職は、通常、時間・労力の観点からも些末な兼任状況であることが多いと思われる(注2)。そのような場合は、事業報告や株主総会参考書類の記載をもって本補充原則にコンプライするものと整理し、ガバナンス報告書に、事業報告や株主総会参考書類を参照することも可能である。

(注1) 油布ほか〔Ⅳ〕50頁。
(注2) 事業報告において「重要な兼職の状況」の記載が必要とされている趣旨は、精力を集中する上で問題が生じる場合や利益相反が生ずる場合があるためとされている（弥永真生『コンメンタール会社法施行規則・電子公告規則〔第3版〕』（商事法務、2021）691頁）。

Q122 取締役会の実効性評価とは何か。

●解説　　　　　　　　　　　　　　　　　　　原則4-11、補充原則4-11③

　原則4-11第3文は、取締役会は、取締役会全体としての実効性に関する分析・評価を行うことなどにより、その機能の向上を図るべきとする。また、補充原則4-11③は、取締役会は、毎年、各取締役の自己評価等も参考にしつつ、取締役会全体の実効性について分析・評価を行い、その結果の概要を開示すべきとする。さらに、2021年改訂対話ガイドライン3-7は、取締役会全体の実効性評価のみならず、取締役会の実効性確保の観点から、各取締役や法定・任意の委員会についての評価が適切に行われているかについても機関投資家と企業と間で対話されることが期待されるとする。

　取締役会の実効性評価の目的は、取締役会全体が適切に機能しているかを定期的に検証し、その結果を踏まえ、問題点の改善や強みの強化等の適切な措置を講じていくという継続的なプロセスにより、取締役会全体の機能向上を図ることにあるとされる。また、評価の結果の概要を開示することで、投資家をはじめとしたステークホルダーの信認を獲得し、自社に対する支持基盤の強化につながることが期待されている(注1)。

　本補充原則において求められる分析・評価の対象は、「取締役会全体の実効性」であるが、その出発点として、各取締役の自分自身に対する評価も必要とされる（後記Q124参照）。

　また、対話ガイドライン3-7が、取締役会の実効性評価に加えて委員会の実効性評価も重要であるとの観点から、「各取締役や法定・任意の委員会についての評価」の適切性をも問題としていることからすれば、ベストプラクティスの観点から、例えば独立社外取締役がみずからの役割・責務を認識し、経営陣に経営課題に対応した適切な助言・監督を行っているかといった各取締役についての評価や、取締役会に設置された委員会が提言した内容がいかにして取締役会での審議に活かされるかといった、任意の諮問委員会や法定の委員会（指名委員会等設置会社の各委員会および監査等委員会等）の評価を実効性評価の対象に含めることも考えられる(注2)。

(注1) 油布ほか〔Ⅳ〕50頁、高山与志子「取締役会評価とコーポレート・ガバナンス―

形式から実効性の時代へ─」商事法務 2043 号（2014）17 頁。
（注 2）フォローアップ会議（第 17 回）議事録〔三瓶裕喜メンバー発言〕、同（第 21 回）
　　議事録〔三瓶裕喜メンバー発言〕、2021 年コード改訂パブコメ回答 203 〜 206 番。

Q123 取締役会の実効性評価の方法にはどのようなものがあるか。

●解説　　　　　　　　　　　　　　　　　原則4-11、補充原則4-11③

　取締役会の実効性の分析・評価の手法としては、取締役会議長が中心となって取締役会が自ら評価を行う自己評価と、外部の専門家に評価を依頼する外部評価の手法が存する。本補充原則では、手法は特定されておらず、各社の合理的な判断に委ねられている(注1)。

　具体的な評価の方法としては、個々の取締役に対してアンケートやインタビュー等を行った上で、取締役会の課題等について議論を行うといったものが考えられる。具体的な評価項目（アンケート項目等）としては、たとえば、取締役会の開催頻度、審議項目、審議資料、審議時間、議事運営のあり方等のほか、各取締役に対する情報提供の質、量、時期等が考えられる(注2)（取締役会の審議の活性化に関する補充原則4-12①参照）。

(注1) 油布ほか〔Ⅳ〕51頁。なお、外部の専門家等に依頼する場合には、評価プロセスの客観性等の観点から、その者と会社との間に特別の利害関係があれば開示をしておくことも考えられる。なお、英国コードでは、定期的に外部機関による取締役会評価を実施することを検討すべきとされている上、その中でもFTSE350会社における取締役会の評価は、少なくとも3年ごとに外部者によって実施することが求められるが、その際、当該外部評価者は、会社と他に関係を有するか否かという点を含め、年次報告書において明らかにされるべきであるとされている（Section 3, Provision 21）。

(注2) 評価項目や実施状況等に関するアンケート分析については、岩田宜子ほか「取締役会評価の現状分析と今後の課題」商事法務2152号（2017）19頁も参照。

> **Q124** 各取締役による自分自身の自己評価は必要か。

●解説　　　　　　　　　　　　　　　　　　　　　　　補充原則4-11③

　補充原則4-11③は、取締役会全体の実効性についての分析・評価を、「各取締役の自己評価なども参考にしつつ」行うべきものとしている。

　これは、取締役会全体の評価を実施するに際しては、各取締役が自分自身および取締役会全体についての評価を行うことが、その議論の出発点になると考えられるためであるとされている。

　したがって、本補充原則においては、各取締役が、取締役会全体に対する評価に加え、自分自身に対する評価も行うことが求められていると考えられる[注]。

　なお、2021年改訂対話ガイドライン3-7は、「取締役会の実効性の確保の観点から、各取締役や法定・任意の委員会についての評価が適切に行われているか」としており、取締役会全体の実効性評価のみならず、取締役個人の評価を行うことについても、機関投資家と企業との間での対話が行われることが期待されている。

（注）油布ほか〔Ⅳ〕51頁。

Q125 結果の概要を開示するとはどういうことか。

●解説　　　　　　　　　　　　　　　　　　　　　　　補充原則4-11③

　補充原則4-11③は、毎年の取締役会全体の実効性についての分析・評価結果の概要を開示すべきとする。

　したがって、上場会社は、取締役会の実効性評価の実施やその方法を決定するだけでなく、毎年、実際になされた分析・評価結果の概要を、「コードの各原則に基づく開示」として、ガバナンス報告書に（直接または参照方式によって）記載する必要がある(注1)。

　なお、記載すべき結果の概要の内容については、各上場会社の合理的な判断に委ねられているものとされている(注2)。

(注1) ガバナンス報告書記載要領Ⅰ1.(2)。
(注2) 油布ほか〔Ⅳ〕51頁。

Q126 取締役会の審議の活性化のために何をすればよいか。

●解説　　　　　　　　　　　　　　　　　　　原則4-12、補充原則4-12①

　原則4-12は、取締役会について、社外取締役による問題提起も含め自由闊達で建設的な議論・意見交換を尊ぶ気風の醸成に努めるべきとした上で、補充原則4-12①において、取締役会の審議の活性化を図ることを求める。

　そして、補充原則4-12①は、取締役会の審議の活性化を図るための具体的な取組みとして、(i)取締役会の資料が会日に十分に先立って配布されるようにすること、(ii)取締役会の資料以外にも、必要に応じ、会社から取締役に対して十分な情報が（適切な場合には、要点を把握しやすいように整理・分析された形で）提供されるようにすること、(iii)年間の取締役会開催スケジュールや予想される審議事項について決定しておくこと、(iv)審議項目数や開催頻度を適切に設定すること、(v)審議時間を十分に確保することを求めている。

　この点、フォローアップ会議では、上記(v)の審議時間に関して、1議案、最低は20分間は議論を行うべきとの意見も述べられた(注1)が、適切な審議時間は、議案の内容に応じて異なるものであり、最低限の審議時間について一律の基準を設けることは、実務上は現実的でないように思われる。また、上記(iii)審議事項と関係するものとして、当該取締役会では決議は行わないものの、単なる報告事項とは異なり、中長期視点で経営を方向づける審議を行うための「審議事項」の導入事例が紹介されており、実務上の工夫として参考になろう(注2)。

　取締役会の審議の活性化を図るために必要な取組みの具体的な内容については、上記のような議論も参考にしつつ、各会社がその業種や規模、事業特性、機関設計、会社をとりまく環境といった諸事情を勘案して検討・実施することが求められる。

(注1) フォローアップ会議（第2回）議事録〔冨山和彦メンバー発言〕。
(注2) フォローアップ会議（第2回）議事録〔スコット・キャロンメンバー発言〕、フォローアップ会議「意見書(2)　会社の持続的成長と中長期的な企業価値の向上に向けた取締役会のあり方」（2016年2月18日）6頁。

Q127 取締役・監査役への情報提供について何が求められるか。取締役会・監査役会による確認の方法は。

●解説　　　　　　　　　　　　原則4-13、補充原則4-13①〜4-13③

　原則4-13は、第1文において、取締役・監査役は、その役割・責務を実効的に果たすために、能動的に情報を入手すべきとする。さらに、補充原則4-13①は、社外取締役を含む取締役は、必要と考える場合には会社に対して追加の情報提供を求めるべきであり、社外監査役を含む監査役は、法令に基づく調査権限を行使することを含め適切に情報入手を行うべきであるとし、また、補充原則4-13②は、会社の費用において外部の専門家の助言を得ることも考慮すべきとし、取締役・監査役が受け身ではなく能動的・主体的に情報収集を行うことの重要性を強調する。

　これに対して、取締役・監査役がその役割・責務を実効的に果たすためには、会社側からも、取締役・監査役による情報入手の要請に応じて、適切な支援が行われることが必要不可欠である。そのため、本原則の第2文は、上場会社に対し、人員面を含む取締役・監査役の支援体制を整えることを求めている。

　そして、補充原則4-13③の第1文は、このような支援体制の一内容として、内部監査部門と取締役・監査役との連携の確保を求めるとともに、2021年改訂により、その例示として、内部監査部門が取締役会と監査役会の双方に対して適切に直接報告を行う仕組み（いわゆるデュアル・レポーティング）を構築することを挙げている。かかる「報告」とは、単なる伝達（例えば内部監査の結果を伝達すること）に限らず、指揮・命令を受ける、指示を仰ぐ、命令されたことの経過や結果を報告するといった趣旨と考えられるが[注1]、当該報告のための具体的な措置には様々なものが考えられる[注2]。

　なお、フォローアップ会議においては、デュアル・レポーティングが「絶対的な必要条件」であるとの意見もあったが[注3]、本補充原則の「……を構築すること『等』」との文言が示すとおり、デュアル・レポーティングはあくまでも有効なプラクティスの一例であり、コンプライのために必須ということではない[注4]。したがって、内部監査部門を取締役会や監査役会の指揮下に置く組織形態や、逆に、取締役会が代表取締役を介して間接的に内部監査部門を活用する場合もコンプライとなる余地がある[注5]。ただし、フォ

ローアップ会議においては、内部監査部門が代表取締役社長の指揮下に置かれ、代表取締役社長のみを報告先としている場合が多いとの実情に対する懸念や、デュアル・レポーティングの重要性が指摘されており[注6]、各社において当該趣旨を踏まえた合理的な対応が期待される。さらに、コード改訂パブコメ回答においては、デュアル・レポーティングの構築以外にも、プリンシプルベース・アプローチの下、各社の状況に照らし、内部監査部門の人事権や内部監査に係る基本規程や監査計画への取締役会または監査役会の関与等について、必要に応じて検討することも期待されると指摘されている[注7]。

さらに、人員面を含む取締役・監査役の支援体制を実効的なものとするためには、特に社外役員への適確な情報提供を確保するための措置が必要と考えられることから、同補充原則の第2文では、社外取締役や社外監査役に必要な情報を適確に提供するための工夫を行うことを求めた上で、一例として、社外取締役・社外監査役の指示を受けて会社の情報を適確に提供できるよう社内との連絡・調整に当たる者を選任することを挙げている[注8]。

また、原則4-13の第3文は、取締役会・監査役会に対して、各取締役・各監査役が求める情報の円滑な提供が確保されているかどうかを確認すべきとする。これは、本原則第1文および第2文に従った、各取締役・各監査役の主体的な行動と会社の支援の結果、実際に情報の円滑な提供が実現されていることについて、取締役会および監査役会が確実に担保すべきであるとの考えに基づくものである。具体的な確認については、内部統制システムの構築とその監督の中で実施することが考えられる[注9]。また、取締役会の実効性評価の一環として行われる各取締役の自己評価に関するアンケート（補充原則4-11③参照）に、情報の入手状況を回答する項目を盛り込むことも考えられよう。

(注1) CIAフォーラム研究会No.38「監査役会と内部監査部門の理想的な関係」監査研究506号（2016）63頁注1。
(注2) 内田修平「実務問答会社法第43回　監査役等と内部監査部門の連携」商事法務2232号（2020）66頁。
(注3) フォローアップ会議（第25回）議事録〔佃秀昭メンバー発言〕。
(注4) 2021年コード改訂パブコメ回答472～473番。
(注5) 2021年コード改訂パブコメ回答472番。
(注6) フォローアップ会議（第25回）議事録〔佃秀昭メンバー、小林喜光メンバー、川北英隆メンバー、上田亮子メンバー発言〕。

(注7) 2021年コード改訂パブコメ回答474番。
(注8) 油布ほか〔Ⅳ〕51〜52頁。
(注9) 油布ほか〔Ⅳ〕52頁、56頁・注59。

Q128 監査役と内部監査部門との連携はなぜ重要か。

●解説　　　　　　　　　　　　　　　　　　　　　　補充原則 4-13 ③

　補充原則 4-13 ③は、内部監査部門と取締役・監査役との連携を確保することを求めるとともに、2021 年改訂により、その例示として、内部監査部門が取締役会と監査役会の双方に対して適切に直接報告を行う仕組み（いわゆるデュアル・レポーティング）を構築することを挙げている。また、対話ガイドライン 3-11 は、監査役に対する「十分な支援体制」が整えられ、「監査役と内部監査部門との適切な連携」が確保されているかという点に言及している。

　これは、近時の企業不祥事を考慮し、監査部署が監査役にレポーティングを行う仕組等、内部監査部門との「連携」の重要性をあらためて強調したものである(注1)。監査役の補助者たる使用人のみで監査に必要な調査を遂行することには限界がある。そのため、内部監査部門から監査役へのレポーティングや、内部監査部門への監査役の指示・承認といった、内部監査部門と監査役との連携は重要である(注2)。

　フォローアップ会議においては、レポーティングラインとして、内部監査部門から監査役や監査役会への報告こそが重要であり、代表取締役への報告はむしろ従たるものであるとの指摘すらあり、監査役と内部監査部門の連携の重要性が強調されている(注3)。連携のあり方については、日本監査役協会による報告がある(注4)。なお、補充原則 4-13 ③は、デュアル・レポーティングが内部監査部門と取締役・監査役の連携を確保するための方法の一つであることからこれを例示するものであるが、あくまでも有効なプラクティスの一例であり、コンプライのために必須ということではなく、内部監査部門を監査役会の指揮下に置く組織形態を許容しない趣旨ではないと考えられる（前記 Q127 参照）(注5)。内部監査部門の重要な機能の 1 つに執行への監視があることに照らして、内部監査部門の指揮命令権や人事権を、監査役等が担うべきとの指摘もされている(注6)。

　なお、従前は、監査役が内部監査部門に対して直接の指揮を行うことは、監査役の業務執行者との兼任を禁止する規律（会社法 335 条 2 項）に抵触するとの見解もあったが、近時では、兼任禁止規定に抵触しないと考えられている(注7)。

(注1) フォローアップ会議（第14回）議事録〔田中正明メンバー発言〕。
(注2) 2021年コード改訂パブコメ回答482～483番は、内部監査部門と取締役・監査役の連携が重要である趣旨について、当該連携により取締役会・監査役会の機能の十分な発揮が目指されるためであると指摘し、それゆえに、当該連携の前提として、内部監査部門の整備・活用が確保されている状況であることが必要であると述べている。
(注3) フォローアップ会議（第25回）議事録〔川北英隆メンバー発言〕。
(注4) 日本監査役協会「監査役等と内部監査部門との連携について」(2017年1月13日）。
(注5) 2021年コード改訂パブコメ回答485番。
(注6) 2021年コード改訂パブコメ回答476～480番。
(注7) 前田雅弘「経営管理機構の改革」商事法務1671号（2003）31頁。平成26年会社法改正に際してのパブリック・コメントに対する法務省民事局参事官室の回答も、「監査等委員会は、内部統制システムが適切に構築・運営されているかを監視し、必要に応じて内部監査部門等に対して指示を行うという方法で監査を行うことが想定されている。したがって、監査等委員が内部監査部門に対して監査等委員会の職務の執行に必要な範囲で指示を行うことは、その職務として当然に許容される」としている（「会社法の改正に伴う会社更生法施行令及び会社法施行規則等の改正に関する意見募集の結果について」第3-2(9)⑮）。

Q129 何についてのトレーニングが必要か。

●解説　　　　　　　　　　　原則4-14、補充原則4-14①、4-14②

　原則4-14第2文は、上場会社が、個々の取締役・監査役に適合したトレーニングの機会の提供・斡旋やその費用の支援を行うべきであり、取締役会は、こうした対応が適切にとられているか否かを確認すべきであるとする。また、補充原則4-14②は、上場会社は、取締役・監査役に対するトレーニングの方針について開示を行うべきとする。

　これらは、上場会社の取締役・監査役が、会社の事業・財務・組織等に関する知識を有するとともに、取締役・監査役に求められる役割と責務（法的責任を含む）を十分に理解している必要があると考えられること（原則4-14第1文、補充原則4-14①）を踏まえ、そのための適切な支援等を上場会社に求めるものである[注]。

　このような趣旨を踏まえると、必要とされるトレーニングの対象は、(i)会社の事業・財務・組織等に関する知識といった各社特有の事項と、(ii)取締役・監査役に求められる役割と責務（法的責任を含む）といった一般的な事項とに大きく区別することができよう。

　トレーニングの具体的な実施方法は特定されておらず、プリンシプルベース・アプローチの下、各社の合理的な判断により、適切な方法により実施すれば足りると考えられる。この点、(i)会社の事業・財務・組織等に関する知識については、外部の専門家よりも、むしろ社内研修等での対応が考えられるところである。また、(ii)取締役・監査役に求められる役割と責務（法的責任を含む）といった一般的な事項については、外部の専門家を活用することも考えられるが、必ずしもそれに限られず、社内の関係部署から必要な知識等についての説明を行うといった対応も否定されるものではない。

（注）油布ほか〔Ⅳ〕52頁。

第6章

基本原則5
「株主との対話」

Q130 株主から対話（面談）の申込みがあれば必ず応じなければならないのか。

●解説　　　　　　　　　　　　　　　　　　　　　　　　　　　　原則 5-1

　原則 5-1 第 1 文は、上場会社は、株主からの対話（面談）の申込みに対しては、会社の持続的な成長と中長期的な企業価値の向上に資するよう、合理的な範囲で前向きに対応すべきとする。

　本原則は、株主総会以外の場でも株主との間で建設的な対話を行うべきとする基本原則 5 を受けたものであり、上場会社にとっても、株主との対話が「経営の正統性の基盤を強化し、持続的な成長に向けた取組みに邁進する上で極めて有益である」との考え方に基づくものである（基本原則 5 の考え方）。このように、株主との対話は、会社の持続的な成長と中長期的な企業価値の向上を目的として、「合理的な範囲で」求められるものであり、現実的でない対応は求められない(注1)。

　したがって、株主から対話（面談）の申込みがあった場合であっても、必ずこれに応じなければならないわけではなく、個別具体的な事情に照らして合理性を検討の上、対応の要否を判断することは許容されるものと考えられる。そして、合理性の判断は、プリンシプルベース・アプローチの下、各社の合理的な判断に委ねられると考えられ、たとえば、株主の希望と面談の主な関心事項に加えて、各社の状況に照らし、株主の持株数などを考慮して合理性を判断することも許容される(注2)。

(注 1) 金融庁パブコメ回答 12 番。なお、2021 年コード改訂パブコメ回答 564 番においても、原則 5-1 における「合理的な範囲」は、その実行可能性という観点からすべての株主との対話を求めるものではないものの、合理的な理由なく対話先の範囲を狭めることは適切ではないとの観点から記載しているものと説明されている。
(注 2) 油布ほか〔Ⅳ〕53 頁。

Q131 対話（面談）には、経営陣幹部、取締役または監査役が対応しなければならないのか。

●解説　　　　　　　　　　　　　　　　　　　　　　　　　補充原則5-1①

　補充原則5-1①は、株主との実際の対話（面談）の対応者については、株主の希望と面談の主な関心事項も踏まえた上で、合理的な範囲で、経営陣幹部、社外取締役を含む取締役または監査役が面談に臨むことを基本とすべきとする。

　これは、経営陣幹部・取締役が、株主との対話を通じてその声に耳を傾けることは、資本提供者の目線からの経営分析や意見を吸収し、持続的な成長に向けた健全な企業家精神を喚起する機会を得るということも意味するとの考え方（基本原則5の考え方）に基づくものである。なお、フォローアップ会議の提言では、監査役も取締役と同じく株主への受託者責任を有することに鑑みれば、企業の持続的な成長と中長期的な企業価値の向上に資するよう、機関投資家の希望と面談の主な関心事項も踏まえた上で、合理的な範囲で、面談に臨むことを基本とすべきであることが示されたことから、2021年改訂により、株主との対話の対応者について、監査役も文言として明確に加えられたものである(注1)。

　もっとも、本補充原則も、原則5-1同様、会社の持続的な成長と中長期的な企業価値の向上を目的とするものであり、そのような観点から「合理的な範囲で」面談に臨むことを求めるものと考えられる(注2)。特に、上場会社が株主との面談に追われるあまり、日々の経営がおろそかになってしまうのは、本末転倒である(注3)。

　したがって、株主の希望、面談の主な関心事項、株主の持株数等のほか、各社の人的資源の状況等も含めた個別具体的な事情を踏まえて合理性を検討した上で、経営陣幹部、社外取締役を含む取締役または監査役が対応しない場合があることも、当然に想定されていると考えられる。

(注1) 2021年コード改訂パブコメ回答562～563番。
(注2) 金融庁パブコメ回答12番。
(注3) 油布ほか〔Ⅳ〕53頁。

Q132 社外取締役が株主と面談するのはどのような場合か。

●解説　　　　　　　　　　　　　　　　　　　　　　　　　　補充原則5-1 ①

　補充原則5-1 ①は、株主との対話（面談）について、経営陣幹部、取締役または監査役が面談に臨むことを基本とすべきとした上で、その取締役には社外取締役を含むものとしている。

　もっとも、本補充原則においては、「株主の希望と面談の主な関心事項も踏まえた上で、合理的な範囲で」面談に臨むことが求められているにとどまり、株主が社外取締役との面談を希望した場合であっても、必ず社外取締役が面談に応じなければならないものではない。面談の応対者は、各社の合理的な判断に委ねられているところ、従来は社外取締役ではなく、経営の責任者である代表取締役その他の業務執行取締役が面談に臨むという対応が多かったが、社外取締役が株主と対話を行うという実務対応も増加してきている。

　なお、2021年改訂対話ガイドラインにおいて、4-4-1として、「株主との面談の対応者について、株主の希望と面談の主な関心事項に対応できるよう、例えば、『筆頭独立社外取締役』の設置など、適切に取組みを行っているか。」との一文が追記され、筆頭独立社外取締役の設置について、機関投資家との対話等を通じた検討が行われることが期待されている。また、海外では、いわゆるリード・インディペンデント・ディレクターが株主との面談に応じる旨を記載する例も見られるところであり、社外取締役による対応を検討する場合には、参考となろう。

Q133 株主との建設的な対話を促進するための体制整備・取組みに関する方針とは、いわゆるディスクロージャー・ポリシーのことか。

●解説　　　　　　　　　　　　　　　　　原則 5-1、補充原則 5-1 ②

　原則 5-1 第 2 文は、取締役会が対話を促進するための体制整備・取組みに関する方針を検討・承認し、開示することを求めており、補充原則 5-1 ②は、当該方針に少なくとも含まれるべき記載内容を列挙している。

　各社から投資家に向けた情報開示のあり方については、いわゆるディスクロージャー・ポリシーという形で定められることがある。その内容としては、情報開示に関する社内体制の整備や、インサイダー取引の未然防止等、補充原則 5-1 ②に掲げられた事項に関連するものも含まれることがあるため、方針の策定に当たって参考となり得る。

　しかし、ディスクロージャー・ポリシーは、一般的に、上場会社からの情報開示の指針・ガイドラインを定めるものである。これに対して、原則 5-1 第 2 文において求められている方針は、株主との建設的な対話（いわゆるエンゲージメント）を念頭に置いており、ディスクロージャー・ポリシーとは必ずしも一致しないように思われる。したがって、方針の策定に当たっては、このような違いを意識し、建設的で双方向的な対話を念頭に置いた検討を行うことが必要と考えられる。

Q134 株主との対話を統括する経営陣・取締役には誰が適任か。

●解説　　　　　　　　　　　　　　　　　　　　　補充原則 5-1 ②(i)

　補充原則 5-1 ②(i)は、原則 5-1 により開示が求められる株主との建設的な対話を促進するための方針において、経営陣または取締役のうちで株主との対話全般について統括する者を指定することを求めている。

　本補充原則との関係で、どのような人物を統括者に指定すればよいかについては、エンゲージメントの意義に遡って合目的的に検討することが有用と考えられる。すなわち、エンゲージメントの目的が、企業の中長期的な企業価値向上という点にあることからすると、中長期的な企業価値の向上に向けた株主の関心事を理解し、株主との建設的な会話を通じて実質的な対応を行うことができる体制を検討することが、基本的な指針になるものと考えられる。

　このような観点からは、中長期的な企業価値向上に向けた経営方針や資本効率の中長期目標、想定されている当該目標達成に向けたプロセスといった株主の関心事について、自社内で誰が統括し、責任を負うのかを踏まえて、統括者を指定することとなる。

　以上のような検討プロセスを経れば、経営トップ、または CFO 等の経営トップに近い人物が適任であるとの結論に至ることが多いものと思われる。実際の開示事例においても、やはり経営トップや CFO を指定している例が多く見られる。他方で、IR 担当取締役が指定されている例も散見され、中には、経営・計画部門の担当取締役や経理担当取締役が指定されている例も存在する。

> **Q135** 上場会社は必ず株主構造の把握を行わなければならないのか。

●解説　　　　　　　　　　　　　　　　　　　　　　　補充原則 5-1 ③

　補充原則 5-1 ③は、上場会社が必要に応じて株主構造の把握に努めることを求めている。

　上場会社が株主名簿上の株主を把握することは当然であるから、本補充原則にいう「株主構造の把握」とは、信託口を通じて株式を保有するようなケースにおける、いわゆる実質株主の把握を意味するものと考えられる[注1]。

　本補充原則は、あくまで、「必要に応じ」て株主構造の把握をすることを求めており、各社の合理的な判断により、株主との建設的な対話を進めていく観点で必要がないと考えられる場合にまで、実質株主の把握に努めるよう求めるものではない[注2]。そのような場合には、本補充原則の適用はなく、「株主構造の把握」を行わない理由のエクスプレインをする必要もない[注3]。

(注1) 油布ほか〔Ⅳ〕54頁。
(注2) 油布ほか〔Ⅳ〕54頁。
(注3) 油布ほか〔Ⅳ〕54頁。

Q136 経営戦略や経営計画の策定に際して、株主との対話との関係で留意すべきことは何か。

●解説　　　　　　　　　　　　　　　　　　　　　　　　　　　原則 5-2

(1) 収益力・資本効率等に関する留意点

　原則 5-2 は、経営戦略や経営計画の策定・公表に当たっては、収益計画や資本政策の基本的な方針を示すとともに、収益力・資本効率等に関する目標を提示すべきとし、また、その実現のための具体的な実行策について、株主にわかりやすい言葉・論理で明確に説明を行うべきであるとする。

　前記 Q68 のとおり、経営計画について、明確な定義は置かれておらず、各社にとって何が経営計画に当たるのかを判断することになるが、その策定に当たっては、本原則で求められる内容を踏まえて検討を行う必要がある。

　本原則では、収益力・資本効率等に関する目標の提示が求められているが、ここで「収益力・資本効率等」という表現が用いられているのは、有識者会議において、日本企業の資本効率が低水準にとどまっていることを重大な問題と考えた上で、その主な理由は、財務レバレッジではなく、売上高利益率の低さにある等の指摘がなされたことを踏まえたものであるとされている[注1]。本原則において上場会社が示すべき事項として、資本政策の基本的な方針と並んで収益計画が挙げられているのも、同様の背景によるものと思われる。経営戦略や経営計画の策定・公表に当たっては、このような背景も踏まえた上で、各社において、株主が求める情報は何かという観点から、収益計画や資本政策の基本的な方針を示すとともに、収益力・資本効率等に関する目標を提示することが求められるものと考えられる。なお、収益力・資本効率等に関する目標は、プリンシプルベース・アプローチの下、必ずしも特定のタイプの指標に限定されているわけではない[注2]。そもそも、株主・投資家が納得する内容であれば、これらの目標は具体的数値である必要はないという考え方もあり得るものと思われる。

　また、収益力・資本効率等に関する目標の実現のための具体的な実行策についても、説明が求められる。単に目標を示すだけではなく、それに至る道筋・戦略についても説明を求めるものであるが、具体的な説明内容については、個別の事情を踏まえた各社の合理的な判断に委ねられる。

(2) 近時の法改正・議論を踏まえた留意点

　2017年2月14日付で施行された企業内容等の開示に関する内閣府令の第2号様式等の改正により、2017年3月31日以後に終了する事業年度から、有価証券報告書等における経営方針・経営戦略等の開示が求められることとなった。ここでは、経営方針・経営戦略等（経営理念やビジネスモデル、経営計画等）を定めている場合には、その内容を記載するとともに、経営上の目標の達成状況を判断するための客観的な指標（KPI）等がある場合には、その内容について記載することとされた。また、経営環境ならびに事業上および財務上の対処すべき課題について、その内容、対処方針等を具体的に記載することとされた。

　さらに、2018年6月の金融庁金融審議会ディスクロージャーワーキング・グループの報告を踏まえた、2019年1月31日付で施行された企業内容等の開示に関する内閣府令の第2号様式等の改正により、2020年3月31日以後に終了する事業年度に係る有価証券報告書等から、「経営方針・経営戦略等を定めている場合には」との文言が削除され、経営方針・経営戦略等を定めていることを前提として当該経営方針・経営戦略等の内容の開示が求められることに改められた。また、記載に当たっては、市場の状況、競争優位性、主要製品・サービス、顧客基盤等に関する経営者の認識の説明を含めた記載が求められるとともに、事業上および財務上の課題のうち優先的に対処すべきものについて、その内容、対処方針等を経営方針・経営戦略等と関連付けて具体的に記載することが求められることとなった。

(3) 経営戦略のうち秘匿性の高い部分の開示の必要性

　なお、一般的な経営戦略自体は開示が求められるが（原則3-1(i)）、経営戦略の一部は競争力確保のため秘匿性が高く、そのような部分を開示することは、むしろ企業価値の向上につながらない可能性がある。

　そのため、コードは、経営戦略のうちそのような秘匿性の高い情報の開示まで求めているものではないと考えられる。コードの2018年改訂にあわせ、上場会社の持続的な成長と中長期的な企業価値の向上に向けた機関投資家と上場会社との対話について定められる内容として対話ガイドラインが設けられたところ、そのような趣旨からすれば、対話ガイドラインには明記されていないものの、経営戦略のうち秘匿性の高い情報を開示する必要がないことは当然の前提としているといえる。

（注1）油布ほか〔Ⅳ〕56頁注62。
（注2）油布ほか〔Ⅳ〕54頁。

Q137 収益力・資本効率とはどういう意味か。

●解説　　　　　　　　　　　　　　　　　　　　　　　　　原則 5-2

　資本効率とは、投下資本に対する利回りを意味する。コードは、資本生産性の改善に関する投資家側からの意見を1つの背景として策定されたものであると考えられる。ROE（自己資本利益率）は、自己資本に着眼した資本効率を示す指標の1つである。

　他方、収益力とは、資本効率だけでは斟酌できない売上高利益率などの収益性を意味する。コードにおいては、資本効率に言及する際には、「収益力・資本効率等」というように、収益力と並べて記載されているが、これは、有識者会議において、日本企業の資本効率が低水準にとどまっていることを重大な問題と考えた上で、その主な理由は、財務レバレッジではなく、売上高利益率の低さにある等の指摘がなされたことを踏まえたものであるとされている(注)。

（注）油布ほか〔Ⅳ〕56頁注62。

Q138 コードにおける資本コストとは何か。資本コストについて投資家とどのように対話すべきか。

●解説　　　　　　　　　　　　　　　　　　　　　　　　　　　　原則 5-2

(1) コードにおける資本コストの意義

(ア) 資本コストの内容

2018年改訂により、原則5-2に、経営戦略・経営計画の策定・公表に当たって、「自社の資本コストを的確に把握」することが明記された。この資本コストは、プリンシプルベース・アプローチで考えることになるが、基本的には、株主が企業に求める期待収益率（株主資本コスト）を基準とすることになると考えられる。コードは、資本生産性の改善に関する投資家側からの意見を1つの背景として策定されたものであると考えられるところ、ROE（自己資本収益率）が株主資本コストを下回るのであれば、株主としては配当により還元を受け、他の銘柄をポートフォリオとして投資することが効率的であることから(注1)、株主は、自ら投資した株式のリスクに見合うための最低限の期待として、株主資本コストを上回る収益率（すなわちROE・自己資本収益率）を期待しているためである。

もっとも、一般に資本コストという場合、株主資本コストのほか、負債の調達コストを加味した加重平均資本コスト（Weighted Average Cost of Capital, WACC）等を指すことも多いところ、プリンシプルベース・アプローチの下、会社が投資家との対話の前提として合理性を有すると考える資本コストを用いるべきことになる(注2)。

(イ) 株主資本コストの計算方法

株主資本コストの算定方法としては、CAPM（Capital Asset Pricing Model）、配当成長モデル等さまざまな方法が存在するが、コードにおいては資本コストが投資家との対話の前提として意識されることが求められていることから、投資家の多くが一般的に想定する資本コストの算定方法であれば、合理性を有すると考えてよいと思われる。

(2) 資本コストについての投資家との対話

このような資本コストについて、投資家と対話する場合には、資本コストに関する考え方を明確化することが第一歩となる。企業側が認識している資

本コストと投資家が認識している資本コストに差があり、資本コストを超えた収益を上げているかどうかについてもギャップがあるとの指摘が存在する[注3]。フォローアップ会議では、このギャップを解消する1つの方法として、上場会社における資本コストの考え方、リスクファクターを含めた算定式をどのように用いているか、そのような資本コストに対してどのような対応をしようとしているのか、といった点を開示するという方法が指摘されている[注4]。なお、原則5-2においては、資本コストの数値自体の開示は求められていない[注5]。

(注1) 伊藤レポート6頁においても、「企業価値を生み出すための大原則は、中期的に資本コストを上回るROEを上げ続けることである」とされているところ、少なくとも株主から見た場合には、ここでいう資本コストは株主資本コストを指すものと考えられる。

(注2) 2018年コード改訂パブコメ回答においては、資本コストは、一般的には自社の事業リスクなどを適切に反映した資金調達に伴うコストであり、資金の提供者が期待する収益率と考えられ、適用の場面に応じて株主資本コストや加重平均資本コスト（WACC）が用いられることが多いものと考えられる旨が述べられている（2018年コード改訂パブコメ回答35～36番）。

(注3) 生命保険協会「生命保険会社の資産運用を通じた『株式市場の活性化』と『持続可能な社会の実現』に向けた取組について」(2021年4月16日) においては、投資家は、経営目標として企業が重視することが望ましい指標について「ROE」との回答が最も多かったほか、「ROA」「ROIC」との回答も一定程度見られ、投資家が効率性を重視している様子が窺える一方で、企業は、中期経営計画において公表している指標として「ROE」との回答が最も多いものの、「利益額・利益の伸び率」「売上高・売上高の伸び率」との回答が「ROE」に次いで多いなど、企業と投資家の認識ギャップは依然として大きいという結果が示されている。

(注4) フォローアップ会議（第12回）議事録〔田中正明メンバー発言〕。

(注5) 2018年コード改訂パブコメ回答35～36番。同パブコメ回答では、対話ガイドライン1-2において「目標を設定した理由が分かりやすく説明されているか」という点が示されていることも踏まえ、原則5-2が求める「収益力・資本効率等に関する目標を提示」する中で、投資家に対して、自社の資本コストについての考え方や経営における活用状況などをわかりやすく説明することが求められる旨が述べられている。

Q139 「事業ポートフォリオの見直し」や「設備投資・研究開発投資・人的資本への投資等」について言及しなければコンプライとはいえないか。

●解説　　　　　　　　　　　　　　　　　　　　　　　　　　原則 5-2

　2018 年改訂により、原則 5-2 には「事業ポートフォリオの見直しや、設備投資・研究開発投資・人材投資等を含む経営資源の配分等に関し具体的に何を実行するのかについて、株主に分かりやすい言葉・論理で明確に説明を行うべき」として、経営資源の配分等の例として、「事業ポートフォリオの見直し」や「設備投資・研究開発投資・人材投資等」が明記された(注1)。なお、コード全体の用語を統一する観点から、2021 年改訂により原則 5-2 の「人材投資」は「人的資本への投資」に用語が変更された。

　この点、「事業ポートフォリオの見直し」や「設備投資・研究開発投資・人的資本への投資」に言及しない場合にもコンプライといえるかが問題となるが、結論としては、必ずしもこれらの事項に言及しなくとも、コンプライと整理する余地はあると思われる。

　そもそも、原則 5-2 には、「事業ポートフォリオの見直し」「設備投資」「研究開発投資」「人的資本への投資」が説明対象として記載されているが、「等」や「含む」という表現が用いられ、例示となっている。

　実質的にも、「事業ポートフォリオの見直し」は、収益力や資本効率等の向上のために常に必要とまでいえるものではなく、当該上場会社が単一事業を営んでいる場合等、個社の事情に応じて必要性は異なる。また、「設備投資・研究開発投資・人的資本への投資」についても、個社ごとに必要な投資は異なるのが当然であり、多額の設備投資や研究開発投資に馴染まない業種も存在するため、個社の事情に即した要素について言及すれば足りると考えるのが合理的である。

　ただし、2021 年改訂により、原則 5-2 において資本効率を考慮した経営を行うための対話を投資家との間で促進するとの観点から、従前より、事業ポートフォリオ等に関しても説明が求められてきた点について一層取組みを深化させる趣旨で補充原則 5-2 ①が新設され(注2)、取締役会において決定された事業ポートフォリオに関する基本的な方針や事業ポートフォリオの見直しの状況について分かりやすく示すことが求められるようになったことを踏

まえると、補充原則 5-2 ①についてコンプライとする場合には、原則 5-2 の説明としても「事業ポートフォリオの見直し」に関する言及は必要になるものと思われる。

(注1) このうち「人材投資」は、2020 年 7 月に閣議決定された「成長戦略フォローアップ」において「⑵新たに講ずべき具体的施策」として、「産業界における Society5.0 時代に向けた人材育成・活用」が挙げられているように、引き続き政府の成長戦略に含まれており、人材獲得や人材教育分野の投資を意味する。生産性・イノベーション力の向上につながる働き方の促進（賃金引上げと労働生産性向上、経営戦略としてのダイバーシティの実現等）や、外国人材の活用等が挙げられる。
(注2) 2021 年コード改訂パブコメ回答 579 番。

Q140 「事業ポートフォリオに関する基本的な方針」の決定や「事業ポートフォリオの見直し」の実施がなければコンプライとはいえないか。

●解説　　　　　　　　　　　　　　　　　　　　　　　補充原則5-2①

　補充原則5-2①は、「経営戦略等の策定・公表に当たっては、取締役会において決定された事業ポートフォリオに関する基本的な方針や事業ポートフォリオの見直しの状況について分かりやすく示すべき」としている。

　これは、原則5-2において資本効率を考慮した経営を行うための対話を投資家との間で促進するとの観点から、従前より、事業ポートフォリオ等に関しても説明が求められてきたところ、この点について一層取組みを深化させるとともに、フォローアップ会議において、事業ポートフォリオに関する方針については、取締役会が関与すべきとの指摘があったことを踏まえて、2021年改訂により新設されるに至ったものである[注1]。

　そして、本補充原則においては、「事業ポートフォリオに関する基本的な方針」の決定や「事業ポートフォリオの見直し」の実施について、決定・実施している場合には、といった留保の文言はなく、「事業ポートフォリオに関する基本的な方針」の決定や「事業ポートフォリオの見直し」の実施が行われていることが前提として求められている[注2]。

　したがって、取締役会における事業ポートフォリオに関する基本的な方針の決定および事業ポートフォリオの見直しの実施がない場合には、エクスプレインが必要になると考えられる。

　なお、「事業ポートフォリオに関する基本的な方針」としていかなる事項を含めるべきかについては、プリンシプルベース・アプローチの下、各社の合理的な判断に委ねられている。ただし、事業ポートフォリオに関する基本的な方針の策定の範囲については、グループ会社全体として方針を策定することが期待されている[注3]。

　また、「事業ポートフォリオの見直し」に関しては、コードを補完する実務指針と位置づけられ、事業ポートフォリオの見直し等に関するベストプラクティスを示している事業再編ガイドライン[注4]が参考になる（後記Q142参照）。

(注1) 2021年コード改訂パブコメ回答579番、580番。フォローアップ会議（第23回）議事録〔神作裕之メンバー発言〕。
(注2) 2021年コード改訂パブコメ回答580番、584番において、補充原則5-2①について、取締役会で事業ポートフォリオに関する基本的な方針を決定することが求められている旨が明確にされている。
(注3) 2021年コード改訂パブコメ回答580番。
(注4) 経済産業省「事業再編実務指針～事業ポートフォリオと組織の変革に向けて～」（2020年7月31日公表）。

Q141 原則 5-2 と対話ガイドラインはどのような対応関係となっているか。

●解説　　　　　　　　　　　　　　　　　　　　原則 5-2、補充原則 5-2 ①

　投資家との対話の際には、2018 年のコードの改訂と同タイミングで定められた対話ガイドラインについても具体的に考慮する必要がある。対話ガイドラインは、コードとスチュワードシップ・コードの附属文書として位置づけられ、上場会社の持続的な成長と中長期的な企業価値の向上に向けた機関投資家と上場会社との対話について定めている。このため、対話ガイドラインは、その内容自体について、「コンプライ・オア・エクスプレイン」を求めるものではないが、両コードの実効的な「コンプライ・オア・エクスプレイン」を促すことを意図しており、上場会社がコードの各原則を実施する場合（各原則が求める開示を行う場合を含む）や、実施しない理由の説明を行う場合には、対話ガイドラインの趣旨を踏まえることが期待されるとされている（対話ガイドライン前文「投資家と企業の対話ガイドラインについて」）。

　このうち特に、株主との対話について定める原則 5-2 と対話ガイドラインは、以下のとおり対応している。なお、2021 年改訂により追加された、経営戦略等の策定・公表に当たっての事業ポートフォリオに関する基本的な方針や見直しの状況について分かりやすく示すことを求める補充原則 5-2 ①も、対話ガイドラインの 1-4 が対応しているといえる。

　原則 5-2 に係る開示においては、対応する対話ガイドラインの記載を踏まえた検討が必要となる。

（図表141）原則5-2と対話ガイドラインの対応関係

原則5-2		対話ガイドライン
経営戦略や経営計画の策定・公表に当たっては、	1-1	持続的な成長と中長期的な企業価値の向上を実現するための具体的な経営戦略・経営計画等が策定・公表されているか。また、こうした経営戦略・経営計画等が、経営理念と整合的なものとなっているか。
	1-3	ESGやSDGsに対する社会的要請・関心の高まりやデジタルトランスフォーメーションの進展、サイバーセキュリティ対応の必要性、サプライチェーン全体での公正・適正な取引や国際的な経済安全保障を巡る環境変化への対応の必要性等の事業を取り巻く環境の変化が、経営戦略・経営計画等において適切に反映されているか。また、例えば、取締役会の下または経営陣の側に、サステナビリティに関する委員会を設置するなど、サステナビリティに関する取組みを全社的に検討・推進するための枠組みを整備しているか。
自社の資本コストを的確に把握した上で、収益計画や資本政策の基本的な方針を示すとともに、収益力・資本効率等に関する目標を提示し、	1-2	経営陣が、自社の事業のリスクなどを適切に反映した資本コストを的確に把握しているか。その上で、持続的な成長と中長期的な企業価値の向上に向けて、収益力・資本効率等に関する目標を設定し、資本コストを意識した経営が行われているか。また、こうした目標を設定した理由が分かりやすく説明されているか。中長期的に資本コストに見合うリターンを上げているか。
その実現のために、事業ポートフォリオの見直しや、	1-4	経営戦略・経営計画等の下、事業を取り巻く経営環境や事業等のリスクを的確に把握し、より成長性の高い新規事業への投資や既存事業からの撤退・売却を含む事業ポートフォリオの組替えなど、果断な経営判断が行われているか。その際、事業ポートフォリオの見直しについて、その方針が明確に定められ、見直しのプロセスが実効的なものとして機能しているか。

設備投資・研究開発投資・人的資本への投資等を含む経営資源の配分等に関し具体的に何を実行するのかについて、株主に分かりやすい言葉・論理で明確に説明を行うべきである。	2-1	保有する資源を有効活用し、中長期的に資本コストに見合うリターンを上げる観点から、持続的な成長と中長期的な企業価値の向上に向けた設備投資・研究開発投資・人件費も含めた人的資本への投資等が、戦略的・計画的に行われているか。
	2-2	経営戦略や投資戦略を踏まえ、資本コストを意識した資本の構成や手元資金の活用を含めた財務管理の方針が適切に策定・運用されているか。また、投資戦略の実行を支える営業キャッシュフローを十分に確保するなど、持続的な経営戦略・投資戦略の実現が図られているか。

Q142 対話ガイドラインにおける「事業ポートフォリオの見直しのプロセス」(1-4) とは具体的に何か。

●解説　　　　原則 5-2、補充原則 5-2 ①、対話ガイドライン 1-4

　原則 5-2 で求められる、株主に対して経営資源の配分等に関し具体的に何を実行するのかについての説明を行う際に、対話ガイドラインにおいて一定の留意事項が挙げられている（前記 Q141 参照）。その中で、特に検討すべき点として、「事業ポートフォリオの見直しのプロセス」（対話ガイドライン 1-4）が存在する。

　対話ガイドライン 1-4 においては、「事業ポートフォリオの見直しについて、その方針が明確に定められ、見直しのプロセスが実効的なものとして機能している」ことが求められている。

　見直しのプロセスの具体的な内容については、コードを補完する実務指針と位置づけられ、事業ポートフォリオの見直し等に関するベストプラクティスを示している事業再編ガイドライン(注)が参考になる。事業再編ガイドラインは、持続的な成長や中長期的な企業価値の向上を図るべく、事業再編を促進するという観点から、経営陣、取締役会、投資家の 3 つのレイヤーを通じた、コーポレートガバナンスのあり方等を整理しており、主なポイントとしては以下のものが挙げられる。

(1)　事業評価及び事業ポートフォリオの選択
　●定量的な事業評価の仕組みと見える化
　－資本収益性及び成長性を軸とした 4 象限フレームワークの活用、事業セグメントごとの BS の整備等
(2)　事業ポートフォリオに関する取締役会の役割
　●取締役会での事業ポートフォリオに関する議論
　－取締役会における少なくとも年 1 回の事業ポートフォリオに関する基本方針の見直し及び経営陣に対する事業ポートフォリオマネジメントの実施状況等の監督
(3)　投資家と事業ポートフォリオに関する対話
　●事業ポートフォリオに関する情報開示・事業セグメントごとの資本収益性を含めた情報開示の充実、及び投資家の合理的根拠ある株主提案・株主意見による建設的な対話

(注) 経済産業省「事業再編実務指針～事業ポートフォリオと組織に変革に向けて～」（2020年7月31日公表）。

Q143 対話ガイドラインにおける「財務管理の方針」(2-2) とは具体的に何か。

●解説　　　　　　　　　　　　　　　　　　原則5-2、対話ガイドライン2-2

　原則5-2で求められる、株主に対して経営資源の配分等に関し具体的に何を実行するのかについての説明を行う際に、対話ガイドラインにおいて一定の留意事項が挙げられている（前記Q141参照）。その中で、特に検討すべき点として、「財務管理の方針」（対話ガイドライン2-2）が存在する。

　対話ガイドライン2-2においては、「経営戦略や投資戦略を踏まえ、資本コストを意識した資本の構成や手元資金の活用を含めた財務管理の方針が適切に策定・運用されている」ことが求められている。ここでの「財務管理の方針」は、単なる資金繰りの管理ではなく、企業価値向上に向けた、経営戦略・投資戦略を踏まえた必要資金の投入に関する方針（いわば財務規律、Financial Discipline）を指すものと考えられる。

　上場会社には、バランスシートやキャッシュフローの管理等を通じ、成長と投資のバランスや調達余力を確保することが求められる。フォローアップ会議においても、財務管理の方針とは、たとえば、事業資産の収益力およびリスク、その特性に見合った資本の選択（有利子負債、株主資本）、および株主資本の使途・その配分（有利子負債調達に必要な財務健全性を担保する目的、リスク性資産に対する直接のバッファーとしての目的）等である旨が指摘されている[注1]。

　なお、投資の源泉として機能し得る営業キャッシュフローを意識することの重要性に鑑み[注2]、2021年対話ガイドライン改訂によって、対話ガイドライン2-2に第2文が加えられ、「投資戦略の実行を支える営業キャッシュフローを十分に確保するなど、持続的な経営戦略・投資戦略の実現が図られているか」について、投資家と上場会社との間で対話が行われることが期待されている。

(注1) フォローアップ会議（第14回）議事録〔田原泰雄金融庁総務企画局企業開示課長発言〕、フォローアップ会議（第14回）資料・三瓶裕喜メンバー「投資家と企業の対話ガイドラインについての意見書」（2018年2月15日）1頁参照。
(注2) フォローアップ会議（第23回）議事録〔上田亮子メンバー発言、小林喜光メンバー発言〕

第7章

上場規則等

Q144 2021年改訂後、上場している市場区分によって、求められる内容はどのように異なるか。

●解説

(1) 新市場区分への一斉移行日前（2022年4月3日まで）

　東証は、市場区分によって、コンプライしない場合にエクスプレインが求められるコードの原則の範囲を区別している(注1)。すなわち、本則市場（市場第一部および市場第二部）および2020年11月1日以降に上場申請を行ったJASDAQ(注2)の上場会社は、コードの「基本原則」、「原則」および「補充原則」の83原則のすべてについて、コンプライしない場合にはその理由をエクスプレインしなければならない(注3)。他方、それ以外の市場（マザーズまたは2020年10月31日以前に上場申請を行ったJASDAQ）の上場会社は、5つの「基本原則」のいずれかをコンプライしない場合にその理由をエクスプレインしなければならないにとどまり、「基本原則」以外の「原則」および「補充原則」については、コンプライしない場合であってもその理由をエクスプレインする必要はない。さらに、それらの上場会社は、開示を求める原則（前記Q15参照）をコンプライしない場合であっても、その理由のエクスプレインは不要である(注4)。もちろん、「基本原則」以外の「原則」および「補充原則」についてコンプライし、またはコンプライしない場合にガバナンス報告書でエクスプレインすることが妨げられるわけではない(注5)。

　以上に対し、「望まれる事項」として規定されるコードの趣旨・精神の尊重義務は、全上場会社に対して適用される(注6)。そのため、市場区分にかかわらず、コードの各原則の趣旨・精神を踏まえて自社のガバナンス体制の充実を図るとともに、株主等から質問があればコンプライ・オア・エクスプレインの状況を真摯に回答することが期待されているものと考えられる。

(2) 新市場区分への一斉移行日後（2022年4月4日以降）

　有価証券上場規程が改正され、2022年4月4日付で、市場第一部・市場第二部・マザーズ・JASDAQ（スタンダードおよびグロース）の5つの市場区分の見直しが実施され、プライム市場・スタンダード市場・グロース市場の3つの市場区分に移行することとなった。これらの新市場区分のコンセ

プトを踏まえて、コードの適用範囲についても、見直しが実施された（新市場区分への移行にともなうガバナンス報告書の更新のタイミングについては、後記Q149参照）。

　すなわち、同日以降、プライム市場およびスタンダード市場の上場会社は、コードの「基本原則」、「原則」および「補充原則」の83原則のすべてについて、コンプライしない場合にはその理由をエクスプレインしなければならない。他方、グロース市場の上場会社は、5つの「基本原則」のいずれかをコンプライしない場合にその理由をエクスプレインしなければならないにとどまり、「基本原則」以外の「原則」および「補充原則」については、コンプライしない場合であってもその理由をエクスプレインする必要はない。さらに、グロース市場の上場会社は、開示を求める原則（前記Q15参照）をコンプライしない場合であっても、その理由のエクスプレインは不要である。もちろん、「基本原則」以外の「原則」および「補充原則」についてコンプライし、またはコンプライしない場合にガバナンス報告書でエクスプレインすることが妨げられるわけではない。

　また、より高い水準のガバナンスが求められるプライム市場の上場会社のみに適用される原則等としては、補充原則1-2④、補充原則3-1②、補充原則3-1③、原則4-8、補充原則4-8③、補充原則4-10①の6原則における項目が設けられている。

　なお、「望まれる事項」として規定されるコードの趣旨・精神の尊重義務が、全上場会社に対して適用される点については、従前と変わらない。

（注1）有価証券上場規程436条の3。
（注2）有価証券上場規程2020年11月1日改正付則7項。
（注3）ガバナンス報告書記載要領Ⅰ1.(1)。
（注4）ガバナンス報告書記載要領Ⅰ1.(2)、佐藤60頁。
（注5）ガバナンス報告書記載要領Ⅰ1.(1)、佐藤59頁。
（注6）有価証券上場規程445条の3、佐藤58頁。外国会社や優先出資証券の発行者にも適用される（佐藤64頁注7）。

Q145 東証以外の市場に上場する会社には何が求められるのか。

● 解説

　コード原案の序文13項においては、「本コード（原案）は、我が国取引所に上場する会社を適用対象とするものである。」とされており、その適用対象は東証の市場に上場する会社に限定されているわけではない。

　このため、名古屋証券取引所（以下「名証」という）、福岡証券取引所（以下「福証」という）および札幌証券取引所（以下「札証」という）の各市場に上場する会社にも、コードが適用されている。これら3取引所において、コードの適用が平成27年6月1日に開始されたことや、本則市場以外の市場を含めた全上場会社に対しコードの趣旨・精神の尊重義務が課されていること、コンプライしない場合のエクスプレインをガバナンス報告書に記載しなければならないこと等は共通している[注1]。もっとも、コンプライしない場合にエクスプレインすることが求められるコードの原則の範囲は、名証と福証・札証で異なっている。

　まず、名証においては、東証と同様、本則市場（市場第一部および市場第二部）の上場会社は、原則として、コードの「基本原則」、「原則」および「補充原則」の83原則のすべてについて、コンプライしない場合にはその理由をエクスプレインしなければならない。他方、①本則市場の上場会社のうち国内の他の取引所の本則市場以外の市場に重複上場している会社や、②セントレックスの上場会社については、東証のマザーズや2020年10月31日以前に上場申請を行ったJASDAQの上場会社と同様、5つの「基本原則」のいずれかをコンプライしない場合にその理由をエクスプレインすれば足り、「基本原則」以外の「原則」および「補充原則」については、コンプライしない場合であってもその理由をエクスプレインする必要はないとされている[注2][注3]。なお、東証の市場区分の見直しを契機として、名証においても上場基準等を含む全般的な上場制度の整備が行われることとなり、2022年4月4日付で、現在の市場第一部、市場第二部、セントレックスの市場区分の名称は、それぞれプレミア市場、メイン市場、ネクスト市場に見直されることが予定されており、プレミア市場およびメイン市場の上場会社は、コードの「基本原則」「原則」および「補充原則」のすべてについて、ネクスト市場の上場会社は「基本原則」についてコンプライしない場合にはその

理由をエクスプレインしなければならないとされ、従前の取扱いが踏襲されることとなる(注4)。

以上に対し、福証・札証においては、Q-Boardおよびアンビシャスのみならず、本則市場の上場会社についても、5つの「基本原則」のいずれかをコンプライしない場合にその理由をエクスプレインすれば足りることとされている(注5)。

なお、2021年改訂後のコードでは東証のプライム市場上場会社向けの項目が追加されたが、それらの項目について、福証・札証においては、当該取引所と東証が開設するプライム市場に重複して上場している会社のみを対象として適用されることとされている(注6)。また、名証においては、東証の開設するプライム市場向けの項目については、現時点では名証のコードには追加しないこととしている(注7)。このため、2022年4月4日以降の名証のプレミア市場は、上場基準・維持基準ともに東証プライム市場と概ね同水準に設定されるものの、東証のプライム市場向けのコードの項目は適用されないこととなる。

(注1) 名証「上場有価証券の発行者の会社情報の適時開示等に関する規則」42条の3、31条の3柱書前段、福証「企業行動規範に関する規則」16条の2、6条の2、札証「企業行動規範に関する規則」14条の3、5条の3。
(注2) 名証「上場有価証券の発行者の会社情報の適時開示等に関する規則」31条の3。
(注3) ただし、コードの適用開始時点で①または②に該当している必要があり、名証の本則市場の上場会社がコード適用開始後に①または②に該当することとなった場合には、引き続き「基本原則」、「原則」および「補充原則」の原則等のすべてがエクスプレインの対象となる(名証「上場有価証券の発行者の会社情報の適時開示等に関する規則の取扱い」16の2)。
(注4) 名証「当取引所の特性等を踏まえた上場制度の整備について」(2021年5月26日)。
(注5) 福証「企業行動規範に関する規則」6条の2、札証「企業行動規範に関する規則」5条の3。
(注6) 福証の2021年6月11日改正付則2項、札証の2021年6月11日改正付則2項。
(注7) 名証「当取引所の特性等を踏まえた上場制度の整備について」(2021年5月26日)。

> **Q146** 全ての原則等が適用されるわけではない上場会社は、開示を求める原則の一部のみコンプライすることが可能か。

● 解説

　前記Q144のとおり、東証においては、新市場区分の一斉移行前は、マザーズまたは2020年10月31日以前に上場申請を行ったJASDAQの上場会社は、5つの「基本原則」のいずれかをコンプライしない場合にその理由をエクスプレインしなければならないにとどまる。また、新市場区分の一斉移行後は、グロース市場は、5つの「基本原則」のいずれかをコンプライしない場合にその理由をエクスプレインしなければならないにとどまり、またスタンダード市場は、プライム市場のみに適用されるより高い水準のガバナンスを求める項目は適用されない。

　他方、全ての原則等が適用されるわけではない上場会社についても、適用されない原則等についてコンプライすることも可能であり、特定の事項の開示を求める原則の一部のみコンプライし、当該原則に関する開示のみ行うことも当然可能であると考えられる[注]。

(注) ガバナンス報告書記載要領Ⅰ1.(2)は、マザーズまたはJASDAQの上場会社（ただし、JASDAQの上場会社で、JASDAQへの上場申請日が2020年11月1日以降の場合およびマザーズまたはJASDAQの上場会社が新市場区分の選択においてスタンダード市場およびプライム市場を選択する場合を除く）は、特定の事項を開示すべきとする原則に基づき任意に開示を行う場合は、ガバナンス報告書の該当欄を利用することができるとしている。

Q147 エクスプレインの内容について取引所により不十分とされる事態は想定されているのか。

●解説

　前記Q9のとおり、コンプライもエクスプレインも行わない場合には、東証の企業行動規範の中の「遵守すべき事項」の違反として、公表措置等の制裁の対象となる余地がある。すなわち、東証においては、ガバナンス報告書の記載内容に不備が確認される場合には、上場会社に対して内容の確認をしているほか、実施しない理由の説明が十分に行われていないとき、あるいは実施しない理由の説明に虚偽の内容が含まれるときには、企業行動規範（有価証券上場規程436条の3）の違反として公表措置等の措置の対象となる可能性があるとされている[注1]。

　もっとも、コードが採用するプリンシプルベース・アプローチの手法の下においては、エクスプレインの内容の評価は株主等のステークホルダーによってなされ、会社の取組みやエクスプレインの内容に改善すべき点があれば株主等との対話を通じて改善が図られることが想定されている[注2]。

　そのため、エクスプレインの内容について、東証がレビューの結果、不十分と評価するような事態は基本的に想定されない[注3]。

（注1）2021年コード改訂パブコメ回答22番、25〜26番。
（注2）佐藤59頁参照。
（注3）変わるコーポレートガバナンス260頁。

Q148 ガバナンス報告書にはどのような記載が求められるのか。

●解説

　ガバナンス報告書の「コードの各原則を実施しない理由」欄の記載に当たっては、実施しない原則を項番等により具体的に特定し、どの原則に関する説明であるかを明示した上で[注1]、自社の個別事情や今後の取組み予定、実施時期の目途等について説明を行うことが考えられる。他方、全原則を実施している場合には、その旨を記載することになる。なお、自社について該当事項がない原則（たとえば、買収防衛策を導入しておらずその予定もない場合における原則1-5）については、特にガバナンス報告書に何らかの記載をする必要はないと考えられる。

　ガバナンス報告書の「コードの各原則に基づく開示」欄の記載に当たっては、当該欄に開示内容を直接記載する方法のほか、有価証券報告書、アニュアルレポートまたは自社のウェブサイト等の広く一般に公開される手段により該当する内容を開示している場合には、その内容を参照すべき旨と閲覧方法（ウェブサイトのURL等）を記載する方法によることも可能とされている[注2][注3][注4]。また、ガバナンス報告書の他の欄に記載を行った上で、当該記載欄を参照すべき旨を記載することも可能とされている[注5]。

　さらに、特定の事項を開示すべきとする原則以外の各原則（たとえば、説明を行うべきとする原則）の実施状況について、「コードの各原則に基づく開示」欄に任意に記載することも許容される[注6]。

　なお、1つの原則のうちに複数の開示事項が含まれている場合（たとえば、原則3-1）について、その一部のみを開示する場合には、実施せずエクスプレインする内容については「コードの各原則を実施しない理由」欄に、実施する内容については「コードの各原則に基づく開示」欄に、それぞれ記載することが考えられる。

（注1）実施しない原則とその実施しない理由の対応関係が判別可能であれば、実施しない複数の原則について、ある程度まとめて理由を記載することも考えられよう。佐藤65頁注16。

（注2）ガバナンス報告書記載要領Ⅰ1.(2)。

（注3）コーポレートガバナンス・ガイドラインを策定し、その中でコードの諸原則に対する考え方をある程度網羅的に記載している会社では、かかるコーポレートガバナンス・

ガイドラインを「コードの各原則に基づく開示」欄に直接記載したり、コーポレートガバナンス・ガイドラインのウェブサイト上の記載箇所を参照した上で、コードが求める開示が当該ガイドラインのどこに記載されているか付記する等の対応もあり得よう。実際に、かかる対応がとられている例として、サントリー食品インターナショナル株式会社のガバナンス報告書（2021 年 4 月 1 日）参照。

(注 4) 2015 年にコードが策定された直後に公表されたガバナンス報告書に関して、投資家フォーラム「投資家フォーラム第 1・2 回会合報告書」(2015 年 9 月 11 日) 1 頁においては、「CG コードの各原則に基づく開示項目への参照リンクが多く、且つリンク先を参照しないと完結しないものがあるが、これは読みづらい。」「CG 報告書に記載のリンクへ容易にアクセスできない場合や、リンク先の情報が CG コードに対応する内容ではなく単に適時開示の通知である場合がある。このような場合、該当する情報の記載箇所を探すことにエネルギーと時間を要し、また折角、リンク先で経営理念などを紹介していてもそこへ効率よく辿りつくのが大変だ。」といった投資家からの意見が紹介されていた。実際の記載方法を検討するに当たっては、こうした意見も参考となろう。
(注 5) ガバナンス報告書記載要領Ⅰ1.(2)。
(注 6) ガバナンス報告書記載要領Ⅰ1.(2)。

Q149 コード対応に係るガバナンス報告書の更新はどのタイミングで必要か。2021年コード改訂に係る更新はどうか。

● 解説

(1) コード対応に係るガバナンス報告書の更新時期（原則）

　コードの策定に伴う改正前の上場規則においては、ガバナンス報告書の内容に変更が生じた場合には、変更内容が資本構成または企業属性に関する事項でない限り、変更の都度更新しなければならないのが原則であった[注1]。これに対して、改正後の上場規則では、ガバナンス報告書に記載されたコードの各原則をコンプライしない場合の理由のエクスプレインや、特定の事項の開示を求める原則に基づく開示事項の内容に変更が生じた場合は、変更が生じた後最初に到来する定時株主総会の日以後遅滞なく変更後のガバナンス報告書を提出すれば足りるものとされている[注2]。なお、ガバナンス報告書の記載事項に変更が生じる都度、ガバナンス報告書の記載を任意に更新することも可能である[注3]。

　かかる更新時期に関する取扱いは、コードへの対応についてのものである。したがって、他の記載事項については、従前どおり、原則として変更の都度の更新が求められることに留意する必要がある。

(2) 2021年改訂に対応したガバナンス報告書の提出期限

　2021年改訂に対応したガバナンス報告書の提出は、遅くとも2021年12月末日までに行うこととされている[注4]。このため、2021年の定時株主総会の終了後に提出するガバナンス報告書については改訂前コードに沿った記載とした上で[注5]、2021年12月末までに改訂後のコードに対応したガバナンス報告書を改めて提出することでも差し支えない。また、プライム市場上場会社のみに適用される原則等に関しては、準備期間等も鑑み、2022年4月4日以降に開催される各社の定時株主総会の終了後に提出されるガバナンス報告書から、記載が求められることとなる[注6][注7]。

　なお、マザーズまたは2020年10月31日以前に上場申請を行ったJASDAQの上場会社であっても、新市場区分への移行に際して、スタンダード市場またはプライム市場を選択した場合には、市場区分の移行に先行して遅くとも2021年12月末日までに、基本原則・原則・補充原則の全部

についてコンプライするか、コンプライしない場合にはその理由をエクスプレインしたガバナンス報告書に更新することとされている[注8]。

(注1) 東証「『コーポレート・ガバナンスに関する報告書』記載要領（2015年2月版）」。
(注2) 有価証券上場規程419条2項、有価証券上場規程施行規則415条2項。また、ガバナンス報告書記載要領Ⅰ1.(1)および(2)、佐藤61頁。なお、他の事項についても、「投資者の投資判断に及ぼす影響が軽微なものとして当取引所が認める事項」の変更については、変更後最初に到来する定時株主総会の日以後遅滞なく更新すれば足りるものとされた（同施行規則415条2項）。
(注3) 東証上場第35号4頁注4、佐藤61頁。
(注4) 有価証券上場規程2021年6月11日改正付則3項。
(注5) なお、2021年6月の改訂後のコードに基づいた記載とすることも可能であり、その場合にはその旨を「Ⅰコーポレート・ガバナンスに関する基本的な考え方及び資本構成、企業属性その他の基本情報　■1.　基本的な考え方　(1)コードの各原則を実施しない理由」の欄の冒頭で明記することが求められる（ガバナンス報告書記載要領Ⅰ1.(1)）。
(注6) 有価証券上場規程2021年6月11日改正付則2項。
(注7) なお、改訂後のコードのうちプライム市場向けの内容について、先行して任意に当該内容を踏まえて記載することも可能であり、その場合にはプライム市場向けの内容を含めた改訂後のコードに基づく記載である旨を明記することが求められる（ガバナンス報告書記載要領Ⅰ1.(1)）。
(注8) 有価証券上場規程2021年6月11日改正付則5項。

資　料

資料1 「コーポレートガバナンス・コード」

※基本原則の考え方は省略している。
※2021年改訂によってコードに追記された記載には、下線を付している。

1	株主の権利・平等性の確保	上場会社は、株主の権利が実質的に確保されるよう適切な対応を行うとともに、株主がその権利を適切に行使することができる環境の整備を行うべきである。また、上場会社は、株主の実質的な平等性を確保すべきである。少数株主や外国人株主については、株主の権利の実質的な確保、権利行使に係る環境や実質的な平等性の確保に課題や懸念が生じやすい面があることから、十分に配慮を行うべきである。		
	1-1	株主の権利の確保	上場会社は、株主総会における議決権をはじめとする株主の権利が実質的に確保されるよう、適切な対応を行うべきである。	① 取締役会は、株主総会において可決には至ったものの相当数の反対票が投じられた会社提案議案があったと認めるときは、反対の理由や反対票が多くなった原因の分析を行い、株主との対話その他の対応の要否について検討を行うべきである。
				② 上場会社は、総会決議事項の一部を取締役会に委任するよう株主総会に提案するに当たっては、自らの取締役会においてコーポレートガバナンスに関する役割・責務を十分に果たし得るような体制が整っているか否かを考慮すべきである。他方で、上場会社において、そうした体制がしっかりと整っていると判断する場合には、上記の提案を行うことが、経営判断の機動性・専門性の確保の観点から望ましい場合があることを考慮に入れるべきである。
				③ 上場会社は、株主の権利の重要性を踏まえ、その権利行使を事実上妨げることのないよう配慮すべきである。とりわけ、少数株主にも認められている上場会社及びその役員に対する特別な権利（違法行為の差止めや代表訴訟提起に係る権利等）については、その権利行使の確保に課題や懸念が生じやすい面があることから、十分に配慮を行うべきである。
	1-2	株主総会における権利行使	上場会社は、株主総会が株主との建設的な対話の場であることを認識し、株主の視点に立って、株主総会における権利行使に係る適切な環境整備を行うべきである。	① 上場会社は、株主総会において株主が適切な判断を行うことに資すると考えられる情報については、必要に応じ適確に提供すべきである。
				② 上場会社は、株主が総会議案の十分な検討期間を確保することができるよう、招集通知に記載する情報の正確性を担保しつつその早期発送に努めるべきであり、また、招集通知に記載する情報は、株主総会の招集に係る取締役会決議から招集通知を発送するまでの間に、TDnetや自社のウェブサイトにより電子的に公表すべきである。

			③	上場会社は、株主との建設的な対話の充実や、そのための正確な情報提供等の観点を考慮し、株主総会開催日をはじめとする株主総会関連の日程の適切な設定を行うべきである。
			④	上場会社は、自社の株主における機関投資家や海外投資家の比率等も踏まえ、議決権の電子行使を可能とするための環境作り（議決権電子行使プラットフォームの利用等）や招集通知の英訳を進めるべきである。 特に、プライム市場上場会社は、少なくとも機関投資家向けに議決権電子行使プラットフォームを利用可能とすべきである。
			⑤	信託銀行等の名義で株式を保有する機関投資家等が、株主総会において、信託銀行等に代わって自ら議決権の行使等を行うことをあらかじめ希望する場合に対応するため、上場会社は、信託銀行等と協議しつつ検討を行うべきである。
1-3	資本政策の基本的な方針	上場会社は、資本政策の動向が株主の利益に重要な影響を与え得ることを踏まえ、資本政策の基本的な方針について説明を行うべきである。		
1-4	いわゆる政策保有株式	上場会社が政策保有株式として上場株式を保有する場合には、政策保有株式の縮減に関する方針・考え方など、政策保有に関する方針を開示すべきである。また、毎年、取締役会で、個別の政策保有株式について、保有目的が適切か、保有に伴う便益やリスクが資本コストに見合っているか等を具体的に精査し、保有の適否を検証するとともに、そうした検証の内容について開示すべきである。 上場会社は、政策保有株式に係る議決権の行使について、適切な対応を確保するための具体的な基準を策定・開示し、その基準に沿った対応を行うべきである。	①	上場会社は、自社の株式を政策保有株式として保有している会社（政策保有株主）からその株式の売却等の意向が示された場合には、取引の縮減を示唆することなどにより、売却等を妨げるべきではない。
			②	上場会社は、政策保有株主との間で、取引の経済合理性を十分に検証しないまま取引を継続するなど、会社や株主共同の利益を害するような取引を行うべきではない。

	1-5	いわゆる買収防衛策	買収防衛の効果をもたらすことを企図してとられる方策は、経営陣・取締役会の保身を目的とするものであってはならない。その導入・運用については、取締役・監査役は、株主に対する受託者責任を全うする観点から、その必要性・合理性をしっかりと検討し、適正な手続を確保するとともに、株主に十分な説明を行うべきである。	①	上場会社は、自社の株式が公開買付けに付された場合には、取締役会としての考え方(対抗提案があればその内容を含む)を明確に説明すべきであり、また、株主が公開買付けに応じて株式を手放す権利を不当に妨げる措置を講じるべきではない。
	1-6	株主の利益を害する可能性のある資本政策	支配権の変動や大規模な希釈化をもたらす資本政策(増資、MBO等を含む)については、既存株主を不当に害することのないよう、取締役会・監査役は、株主に対する受託者責任を全うする観点から、その必要性・合理性をしっかりと検討し、適正な手続を確保するとともに、株主に十分な説明を行うべきである。		
	1-7	関連当事者間の取引	上場会社がその役員や主要株主等との取引(関連当事者間の取引)を行う場合には、そうした取引が会社や株主共同の利益を害することのないよう、また、そうした懸念を惹起することのないよう、取締役会は、あらかじめ、取引の重要性やその性質に応じた適切な手続を定めてその枠組みを開示するとともに、その手続を踏まえた監視(取引の承認を含む)を行うべきである。		
2	株主以外のステークホルダーとの適切な協働		上場会社は、会社の持続的な成長と中長期的な企業価値の創出は、従業員、顧客、取引先、債権者、地域社会をはじめとする様々なステークホルダーによるリソースの提供や貢献の結果であることを十分に認識し、これらのステークホルダーとの適切な協働に努めるべきである。 取締役会・経営陣は、これらのステークホルダーの権利・立場や健全な事業活動倫理を尊重する企業文化・風土の醸成に向けてリーダーシップを発揮すべきである。		
	2-1	中長期的な企業価値向上の基礎となる経営理念の策定	上場会社は、自らが担う社会的な責任についての考え方を踏まえ、様々なステークホルダーへの価値創造に配慮した経営を行いつつ中長期的な企業価値向上を図るべきであり、こうした活動の基礎となる経営理念を策定すべきである。		
	2-2	会社の行動準則の策定・実践	上場会社は、ステークホルダーとの適切な協働やその利益の尊重、健全な事業活動倫理などについて、会社としての価値観を示しその構成員が従うべき行動準則を定め、実践すべきである。取締役会は、行動準則の策定・改訂の責務を担い、これが国内外の事業活動の第一線にまで広く浸透し、遵守されるようにすべきである。	①	取締役会は、行動準則が広く実践されているか否かについて、適宜または定期的にレビューを行うべきである。その際には、実質的に行動準則の趣旨・精神を尊重する企業文化・風土が存在するか否かに重点を置くべきであり、形式的な遵守確認に終始すべきではない。

	2-3	社会・環境問題をはじめとするサステナビリティを巡る課題	上場会社は、社会・環境問題をはじめとするサステナビリティを巡る課題について、適切な対応を行うべきである。	① 取締役会は、気候変動などの地球環境問題への配慮、人権の尊重、従業員の健康・労働環境への配慮や公正・適切な処遇、取引先との公正・適正な取引、自然災害等への危機管理など、サステナビリティを巡る課題への対応はリスクの減少のみならず収益機会にもつながる重要な経営課題であると認識し、中長期的な企業価値の向上の観点から、これらの課題に積極的・能動的に取り組むよう検討を深めるべきである。
	2-4	女性の活躍促進を含む社内の多様性の確保	上場会社は、社内に異なる経験・技能・属性を反映した多様な視点や価値観が存在することは、会社の持続的な成長を確保する上での強みとなり得る、との認識に立ち、社内における女性の活躍促進を含む多様性の確保を推進すべきである。	① 上場会社は、女性・外国人・中途採用者の管理職への登用等、中核人材の登用等における多様性の確保についての考え方と自主的かつ測定可能な目標を示すとともに、その状況を開示すべきである。また、中長期的な企業価値の向上に向けた人材戦略の重要性に鑑み、多様性の確保に向けた人材育成方針と社内環境整備方針をその実施状況と併せて開示すべきである。
	2-5	内部通報	上場会社は、その従業員等が、不利益を被る危険を懸念することなく、違法または不適切な行為・情報開示に関する情報や真摯な疑念を伝えることができるよう、また、伝えられた情報や疑念が客観的に検証され適切に活用されるよう、内部通報に係る適切な体制整備を行うべきである。取締役会は、こうした体制整備を実現する責務を負うとともに、その運用状況を監督すべきである。	① 上場会社は、内部通報に係る体制整備の一環として、経営陣から独立した窓口の設置(例えば、社外取締役と監査役による合議体を窓口とする等)を行うべきであり、また、情報提供者の秘匿と不利益取扱の禁止に関する規律を整備すべきである。
	2-6	企業年金のアセットオーナーとしての機能発揮	上場会社は、企業年金の積立金の運用が、従業員の安定的な資産形成に加えて自らの財政状態にも影響を与えることを踏まえ、企業年金が運用(運用機関に対するモニタリングなどのスチュワードシップ活動を含む)の専門性を高めてアセットオーナーとして期待される機能を発揮できるよう、運用に当たる適切な資質を持った人材の計画的な登用・配置などの人事面や運営面における取組みを行うとともに、そうした取組みの内容を開示すべきである。その際、上場会社は、企業年金の受益者と会社との間に生じ得る利益相反が適切に管理されるようにすべきである。	
3	適切な情報開示と透明性の確保		上場会社は、会社の財政状態・経営成績等の財務情報や、経営戦略・経営課題、リスクやガバナンスに係る情報等の非財務情報について、法令に基づく開示を適切に行うとともに、法令に基づく開示以外の情報提供にも主体的に取り組むべきである。 その際、取締役会は、開示・提供される情報が株主との間で建設的な対話を行う上での基盤となることも踏まえ、そうした情報(とりわけ非財務情報)が、正確で利用者にとって分かりやすく、情報として有用性の高いものとなるようにすべきである。	

3-1	情報開示の充実	上場会社は、法令に基づく開示を適切に行うことに加え、会社の意思決定の透明性・公正性を確保し、実効的なコーポレートガバナンスを実現するとの観点から、（本コードの各原則において開示を求めている事項のほか、）以下の事項について開示し、主体的な情報発信を行うべきである。 （ⅰ）会社の目指すところ（経営理念等）や経営戦略、経営計画 （ⅱ）本コードのそれぞれの原則を踏まえた、コーポレートガバナンスに関する基本的な考え方と基本方針 （ⅲ）取締役会が経営陣幹部・取締役の報酬を決定するに当たっての方針と手続 （ⅳ）取締役会が経営陣幹部の選解任と取締役・監査役候補の指名を行うに当たっての方針と手続 （ⅴ）取締役会が上記(ⅳ)を踏まえて経営陣幹部の選解任と取締役・監査役候補の指名を行う際の、個々の選解任・指名についての説明	①	上記の情報の開示（法令に基づく開示を含む）に当たっても、取締役会は、ひな型的な記述や具体性を欠く記述を避け、利用者にとって付加価値の高い記載となるようにすべきである。
			②	上場会社は、自社の株主における海外投資家等の比率も踏まえ、合理的な範囲において、英語での情報の開示・提供を進めるべきである。 特に、プライム市場上場会社は、開示書類のうち必要とされる情報について、英語での開示・提供を行うべきである。
			③	上場会社は、経営戦略の開示に当たって、自社のサステナビリティについての取組みを適切に開示すべきである。また、人的資本や知的財産への投資等についても、自社の経営戦略・経営課題との整合性を意識しつつ分かりやすく具体的に情報を開示・提供すべきである。 特に、プライム市場上場会社は、気候変動に係るリスク及び収益機会が自社の事業活動や収益等に与える影響について、必要なデータの収集と分析を行い、国際的に確立された開示の枠組みであるTCFDまたはそれと同等の枠組みに基づく開示の質と量の充実を進めるべきである。
3-2	外部会計監査人	外部会計監査人及び上場会社は、外部会計監査人が株主・投資家に対して責務を負っていることを認識し、適正な監査の確保に向けて適切な対応を行うべきである。	①	監査役会は、少なくとも下記の対応を行うべきである。 （ⅰ）外部会計監査人候補を適切に選定し外部会計監査人を適切に評価するための基準の策定 （ⅱ）外部会計監査人に求められる独立性と専門性を有しているか否かについての確認
			②	取締役会及び監査役会は、少なくとも下記の対応を行うべきである。 （ⅰ）高品質な監査を可能とする十分な監査時間の確保 （ⅱ）外部会計監査人からCEO・CFO等の経営陣幹部へのアクセス（面談等）の確保 （ⅲ）外部会計監査人と監査役（監査役会への出席を含む）、内部監査部門や社外取締役との十分な連携の確保 （ⅳ）外部会計監査人が不正を発見し適切な対応を求めた場合や、不備・問題点を指摘した場合の会社側の対応体制の確立

4	取締役会等の責務	上場会社の取締役会は、株主に対する受託者責任・説明責任を踏まえ、会社の持続的成長と中長期的な企業価値の向上を促し、収益力・資本効率等の改善を図るべく、 (1) 企業戦略等の大きな方向性を示すこと (2) 経営陣幹部による適切なリスクテイクを支える環境整備を行うこと (3) 独立した客観的な立場から、経営陣（執行役及びいわゆる執行役員を含む）・取締役に対する実効性の高い監督を行うこと をはじめとする役割・責務を適切に果たすべきである。 こうした役割・責務は、監査役会設置会社（その役割・責務の一部は監査役及び監査役会が担うこととなる）、指名委員会等設置会社、監査等委員会設置会社など、いずれの機関設計を採用する場合にも、等しく適切に果たされるべきである。		
	4-1	取締役会の役割・責務(1)	取締役会は、会社の目指すところ（経営理念等）を確立し、戦略的な方向付けを行うことを主要な役割・責務の一つと捉え、具体的な経営戦略や経営計画等について建設的な議論を行うべきであり、重要な業務執行の決定を行う場合には、上記の戦略的な方向付けを踏まえるべきである。	①	取締役会は、取締役会自身として何を判断・決定し、何を経営陣に委ねるのかに関連して、経営陣に対する委任の範囲を明確に定め、その概要を開示すべきである。
				②	取締役会・経営陣幹部は、中期経営計画も株主に対するコミットメントの一つであるとの認識に立ち、その実現に向けて最善の努力を行うべきである。仮に、中期経営計画が目標未達に終わった場合には、その原因や自社が行った対応の内容を十分に分析し、株主に説明を行うとともに、その分析を次期以降の計画に反映させるべきである。
				③	取締役会は、会社の目指すところ（経営理念等）や具体的な経営戦略を踏まえ、最高経営責任者（CEO）等の後継者計画（プランニング）の策定・運用に主体的に関与するとともに、後継者候補の育成が十分な時間と資源をかけて計画的に行われていくよう、適切に監督を行うべきである。
	4-2	取締役会の役割・責務(2)	取締役会は、経営陣幹部による適切なリスクテイクを支える環境整備を行うことを主要な役割・責務の一つと捉え、経営陣からの健全な企業家精神に基づく提案を歓迎しつつ、説明責任の確保に向けて、そうした提案について独立した客観的な立場において多角的かつ十分な検討を行うとともに、承認した提案が実行される際には、経営陣幹部の迅速・果断な意思決定を支援すべきである。 また、経営陣の報酬については、中長期的な会社の業績や潜在的なリスクを反映させ、健全な企業家精神の発	①	取締役会は、経営陣の報酬が持続的な成長に向けた健全なインセンティブとして機能するよう、客観性・透明性ある手続に従い、報酬制度を設計し、具体的な報酬額を決定すべきである。その際、中長期的な業績と連動する報酬の割合や、現金報酬と自社株報酬との割合を適切に設定すべきである。

		揮に資するようなインセンティブ付けを行うべきである。	②	取締役会は、中長期的な企業価値の向上の観点から、自社のサステナビリティを巡る取組みについて基本的な方針を策定すべきである。 また、人的資本・知的財産への投資等の重要性に鑑み、これらをはじめとする経営資源の配分や、事業ポートフォリオに関する戦略の実行が、企業の持続的な成長に資するよう、実効的に監督を行うべきである。
4-3	取締役会の役割・責務(3)	取締役会は、独立した客観的な立場から、経営陣・取締役に対する実効性の高い監督を行うことを主要な役割・責務の一つと捉え、適切に会社の業績等の評価を行い、その評価を経営陣幹部の人事に適切に反映すべきである。 また、取締役会は、適時かつ正確な情報開示が行われるよう監督を行うとともに、内部統制やリスク管理体制を適切に整備すべきである。 更に、取締役会は、経営陣・支配株主等の関連当事者と会社との間に生じ得る利益相反を適切に管理すべきである。	①	取締役会は、経営陣幹部の選任や解任について、会社の業績等の評価を踏まえ、公正かつ透明性の高い手続に従い、適切に実行すべきである。
			②	取締役会は、CEOの選解任は、会社における最も重要な戦略的意思決定であることを踏まえ、客観性・適時性・透明性ある手続に従い、十分な時間と資源をかけて、資質を備えたCEOを選任すべきである。
			③	取締役会は、会社の業績等の適切な評価を踏まえ、CEOがその機能を十分発揮していないと認められる場合に、CEOを解任するための客観性・適時性・透明性ある手続を確立すべきである。
			④	内部統制や先を見越した全社的リスク管理体制の整備は、適切なコンプライアンスの確保とリスクテイクの裏付けとなり得るものであり、取締役会はグループ全体を含めたこれらの体制を適切に構築し、内部監査部門を活用しつつ、その運用状況を監督すべきである。
4-4	監査役及び監査役会の役割・責務	監査役及び監査役会は、取締役の職務の執行の監査、監査役・外部会計監査人の選解任や監査報酬に係る権限の行使などの役割・責務を果たすに当たって、株主に対する受託者責任を踏まえ、独立した客観的な立場において適切な判断を行うべきである。 また、監査役及び監査役会に期待される重要な役割・責務には、業務監査・会計監査をはじめとするいわば「守りの機能」があるが、こうした機能を含め、その役割・責務を十分果たすためには、自らの守備範囲を過度に狭く捉えることは適切でなく、能動的・積極	①	監査役会は、会社法により、その半数以上を社外監査役とすること及び常勤の監査役を置くことの双方が求められていることを踏まえ、その役割・責務を十分に果たすとの観点から、前者に由来する強固な独立性と、後者が保有する高度な情報収集力とを有機的に組み合わせて実効性を高めるべきである。また、監査役または監査役会は、社外取締役が、その独立性に影響を受けることなく情報収集力の強化を図ることができるよう、社外取締役との連携を確保すべきである。

		的に権限を行使し、取締役会においてあるいは経営陣に対して適切に意見を述べるべきである。		
4-5	取締役・監査役等の受託者責任	上場会社の取締役・監査役及び経営陣は、それぞれの株主に対する受託者責任を認識し、ステークホルダーとの適切な協働を確保しつつ、会社や株主共同の利益のために行動すべきである。		
4-6	経営の監督と執行	上場会社は、取締役会による独立かつ客観的な経営の監督の実効性を確保すべく、業務の執行には携わらない、業務の執行と一定の距離を置く取締役の活用について検討すべきである。		
4-7	独立社外取締役の役割・責務	上場会社は、独立社外取締役には、特に以下の役割・責務を果たすことが期待されることに留意しつつ、その有効な活用を図るべきである。 (ⅰ) 経営の方針や経営改善について、自らの知見に基づき、会社の持続的な成長を促し中長期的な企業価値の向上を図る、との観点からの助言を行うこと (ⅱ) 経営陣幹部の選解任その他の取締役会の重要な意思決定を通じ、経営の監督を行うこと (ⅲ) 会社と経営陣・支配株主等との間の利益相反を監督すること (ⅳ) 経営陣・支配株主から独立した立場で、少数株主をはじめとするステークホルダーの意見を取締役会に適切に反映させること		
4-8	独立社外取締役の有効な活用	独立社外取締役は会社の持続的な成長と中長期的な企業価値の向上に寄与するように役割・責務を果たすべきであり、プライム市場上場会社はそのような資質を十分に備えた独立社外取締役を少なくとも3分の1（その他の市場の上場会社においては2名）以上選任すべきである。 また、上記にかかわらず、業種・規模・事業特性・機関設計・会社をとりまく環境等を総合的に勘案して、過半数の独立社外取締役を選任することが必要と考えるプライム市場上場会社（その他の市場の上場会社においては少なくとも3分の1以上の独立社外取締役を選任することが必要と考える上場会社）は、十分な人数の独立社外取締役を選任すべきである。	①	独立社外取締役は、取締役会における議論に積極的に貢献するとの観点から、例えば、独立社外者のみを構成員とする会合を定期的に開催するなど、独立した客観的な立場に基づく情報交換・認識共有を図るべきである。
			②	独立社外取締役は、例えば、互選により「筆頭独立社外取締役」を決定することなどにより、経営陣との連絡・調整や監査役または監査役会との連携に係る体制整備を図るべきである。
			③	支配株主を有する上場会社は、取締役会において支配株主からの独立性を有する独立社外取締役を少なくとも3分の1以上（プライム市場上場会社においては過半数）選任するか、または支配株主と少数株主との利益が相反する重要な取引・行為について審議・検討を行う、独立社外取締役を含む独立性を有する者で構成された特別委員会を設置すべきである。
4-9	独立社外取締役の独立性判断基準及び資質	取締役会は、金融商品取引所が定める独立性基準を踏まえ、独立社外取締役となる者の独立性をその実質面において担保することに主眼を置いた独立性判断基準を策定・開示すべきである。また、取締役会は、取締役会における率直・活発で建設的な検討への貢献が期待できる人物を独立社外取締役の候補者として選定するよう努めるべきである。		

4-10	任意の仕組みの活用	上場会社は、会社法が定める会社の機関設計のうち会社の特性に応じて最も適切な形態を採用するに当たり、必要に応じて任意の仕組みを活用することにより、統治機能の更なる充実を図るべきである。	①	上場会社が監査役会設置会社または監査等委員会設置会社であって、独立社外取締役が取締役会の過半数に達していない場合には、経営陣幹部・取締役の指名（後継者計画を含む）・報酬などに係る取締役会の機能の独立性・客観性と説明責任を強化するため、取締役会の下に独立社外取締役を主要な構成員とする独立した指名委員会・報酬委員会を設置することにより、指名や報酬などの特に重要な事項に関する検討に当たり、ジェンダー等の多様性やスキルの観点を含め、これらの委員会の適切な関与・助言を得るべきである。 特に、プライム市場上場会社は、各委員会の構成員の過半数を独立社外取締役とすることを基本とし、その委員会構成の独立性に関する考え方・権限・役割等を開示すべきである。
4-11	取締役会・監査役会の実効性確保のための前提条件	取締役会は、その役割・責務を実効的に果たすための知識・経験・能力を全体としてバランス良く備え、ジェンダーや国際性、職歴、年齢の面を含む多様性と適正規模を両立させる形で構成されるべきである。また、監査役には、適切な経験・能力及び必要な財務・会計・法務に関する知識を有する者が選任されるべきであり、特に、財務・会計に関する適切十分な知見を有している者が1名以上選任されるべきである。取締役会は、取締役会全体としての実効性に関する分析・評価を行うことなどにより、その機能の向上を図るべきである。	①	取締役会は、経営戦略に照らして自らが備えるべきスキル等を特定した上で、取締役会の全体としての知識・経験・能力のバランス、多様性及び規模に関する考え方を定め、各取締役の知識・経験・能力等を一覧化したいわゆるスキル・マトリックスをはじめ、経営環境や事業特性等に応じた適切な形で取締役の有するスキル等の組み合わせを取締役の選任に関する方針・手続と併せて開示すべきである。その際、独立社外取締役には、他社での経営経験を有する者を含めるべきである。
			②	社外取締役・社外監査役をはじめ、取締役・監査役は、その役割・責務を適切に果たすために必要となる時間・労力を取締役・監査役の業務に振り向けるべきである。こうした観点から、例えば、取締役・監査役が他の上場会社の役員を兼任する場合には、その数は合理的な範囲にとどめるべきであり、上場会社は、その兼任状況を毎年開示すべきである。
			③	取締役会は、毎年、各取締役の自己評価なども参考にしつつ、取締役会全体の実効性について分析・評価を行い、その結果の概要を開示すべきである。
4-12	取締役会における審議の活性化	取締役会は、社外取締役による問題提起を含め自由闊達で建設的な議論・意見交換を尊ぶ気風の醸成に努めるべきである。	①	取締役会は、会議運営に関する下記の取扱いを確保しつつ、その審議の活性化を図るべきである。 （i）取締役会の資料が、会日に十分に先立って配布されるようにすること （ii）取締役会の資料以外にも、必要に応じ、会社から取締役に対して十分な情報が（適切な場合には、要点を把握しやす

				いように整理・分析された形で）提供されるようにすること (ⅲ) 年間の取締役会開催スケジュールや予想される審議事項について決定しておくこと (ⅳ) 審議項目数や開催頻度を適切に設定すること (ⅴ) 審議時間を十分に確保すること
	4-13	情報入手と支援体制	取締役・監査役は、その役割・責務を実効的に果たすために、能動的に情報を入手すべきであり、必要に応じ、会社に対して追加の情報提供を求めるべきである。 また、上場会社は、人員面を含む取締役・監査役の支援体制を整えるべきである。 取締役会・監査役会は、各取締役・監査役が求める情報の円滑な提供が確保されているかどうかを確認すべきである。	①	社外取締役を含む取締役は、透明・公正かつ迅速・果断な会社の意思決定に資するとの観点から、必要と考える場合には、会社に対して追加の情報提供を求めるべきである。また、社外監査役を含む監査役は、法令に基づく調査権限を行使することを含め、適切に情報入手を行うべきである。
				②	取締役・監査役は、必要と考える場合には、会社の費用において外部の専門家の助言を得ることも考慮すべきである。
				③	上場会社は、取締役会及び監査役会の機能発揮に向け、内部監査部門がこれらに対しても適切に直接報告を行う仕組みを構築すること等により、内部監査部門と取締役・監査役との連携を確保すべきである。また、上場会社は、例えば、社外取締役・社外監査役の指示を受けて会社の情報を適確に提供できるよう社内との連絡・調整にあたる者の選任など、社外取締役や社外監査役に必要な情報を適確に提供するための工夫を行うべきである。
	4-14	取締役・監査役のトレーニング	新任者をはじめとする取締役・監査役は、上場会社の重要な統治機関の一翼を担う者として期待される役割・責務を適切に果たすため、その役割・責務に係る理解を深めるとともに、必要な知識の習得や適切な更新等の研鑽に努めるべきである。このため、上場会社は、個々の取締役・監査役に適合したトレーニングの機会の提供・斡旋やその費用の支援を行うべきであり、取締役会は、こうした対応が適切にとられているか否かを確認すべきである。	①	社外取締役・社外監査役を含む取締役・監査役は、就任の際には、会社の事業・財務・組織等に関する必要な知識を取得し、取締役・監査役に求められる役割と責務（法的責任を含む）を十分に理解する機会を得るべきであり、就任後においても、必要に応じ、これらを継続的に更新する機会を得るべきである。
				②	上場会社は、取締役・監査役に対するトレーニングの方針について開示を行うべきである。

5	株主との対話		上場会社は、その持続的な成長と中長期的な企業価値の向上に資するため、株主総会の場以外においても、株主との間で建設的な対話を行うべきである。経営陣幹部・取締役(社外取締役を含む)は、こうした対話を通じて株主の声に耳を傾け、その関心・懸念に正当な関心を払うとともに、自らの経営方針を株主に分かりやすい形で明確に説明しその理解を得る努力を行い、株主を含むステークホルダーの立場に関するバランスのとれた理解と、そうした理解を踏まえた適切な対応に努めるべきである。	
	5-1	株主との建設的な対話に関する方針	上場会社は、株主からの対話(面談)の申込みに対しては、会社の持続的な成長と中長期的な企業価値の向上に資するよう、合理的な範囲で前向きに対応すべきである。取締役会は、株主との建設的な対話を促進するための体制整備・取組みに関する方針を検討・承認し、開示すべきである。	① 株主との実際の対話(面談)の対応者については、株主の希望と面談の主な関心事項も踏まえた上で、合理的な範囲で、経営陣幹部、社外取締役を含む取締役または監査役が面談に臨むことを基本とすべきである。
				② 株主との建設的な対話を促進するための方針には、少なくとも以下の点を記載すべきである。 (ⅰ) 株主との対話全般について、下記(ⅱ)～(ⅴ)に記載する事項を含めその統括を行い、建設的な対話が実現するように目配りを行う経営陣または取締役の指定 (ⅱ) 対話を補助する社内のIR担当、経営企画、総務、財務、経理、法務部門等の有機的な連携のための方策 (ⅲ) 個別面談以外の対話の手段(例えば、投資家説明会やIR活動)の充実に関する取組み (ⅳ) 対話において把握された株主の意見・懸念の経営陣幹部や取締役会に対する適切かつ効果的なフィードバックのための方策 (ⅴ) 対話に際してのインサイダー情報の管理に関する方策
				③ 上場会社は、必要に応じ、自らの株主構造の把握に努めるべきであり、株主も、こうした把握作業にできる限り協力することが望ましい。
	5-2	経営戦略や経営計画の策定・公表	経営戦略や経営計画の策定・公表に当たっては、自社の資本コストを的確に把握した上で、収益計画や資本政策の基本的な方針を示すとともに、収益力・資本効率等に関する目標を提示し、その実現のために、事業ポートフォリオの見直しや、設備投資・研究開発投資・人的資本への投資等を含む経営資源の配分等に関し具体的に何を実行するのかについて、株主に分かりやすい言葉・論理で明確に説明を行うべきである。	① 上場会社は、経営戦略等の策定・公表に当たっては、取締役会において決定された事業ポートフォリオに関する基本的な方針や事業ポートフォリオの見直しの状況について分かりやすく示すべきである。

資料2 「コーポレートガバナンス・コード」と「投資家と企業の対話ガイドライン」の対比

※ 2021年改訂によってコードおよび対話ガイドラインに追記された記載には、下線を付している。
※ コード本文には記載されていないと考えられる内容を含む対話ガイドラインの記載は、斜体としている。

	コード		対話ガイドライン
1-1 ①	取締役会は、株主総会において可決には至ったものの相当数の反対票が投じられた会社提案議案があったと認めるときは、反対の理由や反対票が多くなった原因の分析を行い、株主との対話その他の対応の要否について検討を行うべきである。	4-1-1	株主総会において可決には至ったものの相当数の反対票が投じられた会社提案議案に関して、<u>株主と対話をする際には、反対の理由や反対票が多くなった原因の分析結果、対応の検討結果が、可能な範囲で分かりやすく説明されているか。</u>
1-2	上場会社は、株主総会が株主との建設的な対話の場であることを認識し、株主の視点に立って、株主総会における権利行使に係る適切な環境整備を行うべきである。	4-1-4	*<u>株主の出席・参加機会の確保等の観点からバーチャル方式により株主総会を開催する場合には、株主の利益の確保に配慮し、その運営に当たり透明性・公正性が確保されるよう、適切な対応を行っているか。</u>*
1-2 ②	上場会社は、株主が総会議案の十分な検討期間を確保することができるよう、招集通知に記載する情報の正確性を担保しつつその早期発送に努めるべきであり、また、招集通知に記載する情報は、株主総会の招集に係る取締役会決議から招集通知を発送するまでの間に、TDnetや自社のウェブサイトにより電子的に公表すべきである。	4-1-2	株主総会の招集通知に記載する情報を、内容の確定後速やかにTDnet及び自社のウェブサイト等で公表するなど、株主が総会議案の十分な検討期間を確保することができるような情報開示に努めているか。
1-2 ③	上場会社は、株主との建設的な対話の充実や、そのための正確な情報提供等の観点を考慮し、株主総会開催日をはじめとする株主総会関連の日程の適切な設定を行うべきである。	4-1-3	株主総会が株主との建設的な対話の場であることを意識し、*例えば、有価証券報告書を株主総会開催日の前に提出するなど、株主との建設的な対話の充実に向けた取組みの検討を行っているか。* また、不測の事態が生じても株主へ正確に情報提供しつつ、決算・監査のための時間的余裕を確保できるよう、株主総会関連の日程の適切な設定を含め、株主総会の在り方について検討を行っているか。

	コード		対話ガイドライン
1-4	上場会社が政策保有株式として上場株式を保有する場合には、政策保有株式の縮減に関する方針・考え方など、政策保有に関する方針を開示すべきである。また、毎年、取締役会で、個別の政策保有株式について、保有目的が適切か、保有に伴う便益やリスクが資本コストに見合っているか等を具体的に精査し、保有の適否を検証するとともに、そうした検証の内容について開示すべきである。上場会社は、政策保有株式に係る議決権の行使について、適切な対応を確保するための具体的な基準を策定・開示し、その基準に沿った対応を行うべきである。	4-2-1	<u>政策保有株式（注）について、それぞれの銘柄の保有目的や、保有銘柄の異動を含む保有状況が、分かりやすく説明されているか。</u>個別銘柄の保有の適否について、保有目的が適切か、保有に伴う便益やリスクが資本コストに見合っているか等を具体的に精査し、取締役会において検証を行った上、適切な意思決定が行われているか。特に、<u>保有効果の検証が、例えば、独立社外取締役の実効的な関与等により、株主共同の利益の視点を十分に踏まえたものになっているか。</u>そうした検証の内容について<u>検証の手法も含め具体的に</u>分かりやすく開示・説明されているか。政策保有株式に係る議決権の行使について、適切な基準が策定され、分かりやすく開示されているか。また、策定した基準に基づいて、適切に議決権行使が行われているか。（注）企業が直接保有していないが、企業の実質的な政策保有株式となっている株式を含む。
		4-2-2	政策保有に関する方針の開示において、政策保有株式の縮減に関する方針・考え方を明確化し、そうした方針・考え方に沿って適切な対応がなされているか。
1-4①	上場会社は、自社の株式を政策保有株式として保有している会社（政策保有株主）からその株式の売却等の意向が示された場合には、取引の縮減を示唆することなどにより、売却等を妨げるべきではない。	4-2-3	自社の株式を政策保有株式として保有している企業（政策保有株主）から当該株式の売却等の意向が示された場合、取引の縮減を示唆することなどにより、売却等を妨げていないか。
1-4②	上場会社は、政策保有株主との間で、取引の経済合理性を十分に検証しないまま取引を継続するなど、会社や株主共同の利益を害するような取引を行うべきではない。	4-2-4	政策保有株主との間で、取引の経済合理性を十分に検証しないまま取引を継続するなど、会社や株主共同の利益を害するような取引を行っていないか。

	コード		対話ガイドライン
2-6	上場会社は、企業年金の積立金の運用が、従業員の安定的な資産形成に加えて自らの財政状態にも影響を与えることを踏まえ、企業年金が運用（運用機関に対するモニタリングなどのスチュワードシップ活動を含む）の専門性を高めてアセットオーナーとして期待される機能を発揮できるよう、運用に当たる適切な資質を持った人材の計画的な登用・配置などの人事面や運営面における取組みを行うとともに、そうした取組みの内容を開示すべきである。その際、上場会社は、企業年金の受益者と会社との間に生じ得る利益相反が適切に管理されるようにすべきである。	4-3-1	<u>自社の企業年金が運用（運用機関に対するモニタリングなどのスチュワードシップ活動を含む）の専門性を高めてアセットオーナーとして期待される機能を発揮できるよう、母体企業として、運用に当たる適切な資質を持った人材の計画的な登用・配置（*外部の専門家の採用も含む*）などの人事面や運営面における取組みを行っているか</u>（注）。また、そうした取組みの内容が分かりやすく開示・説明されているか。 （注）対話に当たっては、こうした取組みにより母体企業と企業年金の受益者との間に生じ得る利益相反が適切に管理されているかについても、留意が必要である。
		4-3-2	<u>自社の企業年金の運用に当たり、企業年金に対して、自社の取引先との関係維持の観点から運用委託先を選定することを求めるなどにより、企業年金の適切な運用を妨げていないか。</u>
4-1 ③	取締役会は、会社の目指すところ（経営理念等）や具体的な経営戦略を踏まえ、最高経営責任者（CEO）等の後継者計画（プランニング）の策定・運用に主体的に関与するとともに、後継者候補の育成が十分な時間と資源をかけて計画的に行われていくよう、適切に監督を行うべきである。	3-3	CEOの後継者計画が適切に策定・運用され、後継者候補の育成（必要に応じ、*社外の人材を選定することも含む*）が、十分な時間と資源をかけて計画的に行われているか。
4-2 ①	取締役会は、経営陣の報酬が持続的な成長に向けた健全なインセンティブとして機能するよう、客観性・透明性ある手続に従い、報酬制度を設計し、具体的な報酬額を決定すべきである。その際、中長期的な業績と連動する報酬の割合や、現金報酬と自社株報酬との割合を適切に設定すべきである。	3-5	経営陣の報酬制度を、持続的な成長と中長期的な企業価値の向上に向けた健全なインセンティブとして機能するよう設計し、適切に具体的な報酬額を決定するための客観性・透明性ある手続が確立されているか。こうした手続を実効的なものとするために、独立した報酬委員会が<u>必要な権限を備え</u>、活用されているか。また、<u>報酬制度や具体的な報酬額の適切性</u>が、分かりやすく説明されているか。
4-3 ②	取締役会は、CEOの選解任は、会社における最も重要な戦略的意思決定であることを踏まえ、客観性・適時性・透明性ある手続に従い、十分な時間と資源をかけて、資質を備えたCEOを選任すべきである。	3-1	*持続的な成長と中長期的な企業価値の向上に向けて、経営環境の変化に対応した果断な経営判断を行うことができるCEOを選任するため、CEOに求められる資質について、確立された考え方があるか。*
		3-2	客観性・適時性・透明性ある手続により、十分な時間と資源をかけて、資質を備えたCEOが選任されているか。こうした手続を実効的なものとするために、独立した指名委員会が<u>必要な権限を備え</u>、活用されているか。

	コード		対話ガイドライン
4-3 ③	取締役会は、会社の業績等の適切な評価を踏まえ、CEOがその機能を十分発揮していないと認められる場合に、CEOを解任するための客観性・適時性・透明性ある手続を確立すべきである。	3-4	会社の業績等の適切な評価を踏まえ、CEOがその機能を十分発揮していないと認められる場合に、CEOを解任するための客観性・適時性・透明性ある手続が確立されているか。
4-8	独立社外取締役は会社の持続的な成長と中長期的な企業価値の向上に寄与するように役割・責務を果たすべきであり、プライム市場上場会社はそのような資質を十分に備えた独立社外取締役を少なくとも3分の1(その他の市場の上場会社においては2名)以上選任すべきである。 また、上記にかかわらず、業種・規模・事業特性・機関設計・会社をとりまく環境等を総合的に勘案して、過半数の独立社外取締役を選任することが必要と考えるプライム市場上場会社(その他の市場の上場会社においては少なくとも3分の1以上の独立社外取締役を選任することが必要と考える上場会社)は、十分な人数の独立社外取締役を選任すべきである。	3-8	取締役会全体として適切なスキル等が備えられるよう、必要な資質を有する独立社外取締役が、十分な人数選任されているか。必要に応じて独立社外取締役を取締役会議長に選任することなども含め、取締役会が経営に対する監督の実効性を確保しているか。 また、独立社外取締役は、資本効率などの財務に関する知識や関係法令等の理解など、持続的な成長と中長期的な企業価値の向上に実効的に寄与していくために必要な知見を備えているか。 独立社外取締役の再任・退任等について、自社が抱える課題やその変化などを踏まえ、適切な対応がなされているか。
		3-9	独立社外取締役は、自らの役割・責務を認識し、経営陣に対し、経営課題に対応した適切な助言・監督を行っているか。
4-10 ①	上場会社が監査役会設置会社または監査等委員会設置会社であって、独立社外取締役が取締役会の過半数に達していない場合には、経営陣幹部・取締役の指名(後継者計画を含む)・報酬などに係る取締役会の機能の独立性・客観性と説明責任を強化するため、取締役会の下に独立社外取締役を主要な構成員とする独立した指名委員会・報酬委員会を設置することにより、指名や報酬などの特に重要な事項に関する検討に当たり、ジェンダー等の多様性やスキルの観点を含め、これらの委員会の適切な関与・助言を得るべきである。 特に、プライム市場上場会社は、各委員会の構成員の過半数を独立社外取締役とすることを基本とし、その委員会構成の独立性に関する考え方・権限・役割等を開示すべきである。	3-2、3-5 参照	

コード		対話ガイドライン	
4-11	取締役会は、その役割・責務を実効的に果たすための知識・経験・能力を全体としてバランス良く備え、ジェンダーや国際性、職歴、年齢の面を含む多様性と適正規模を両立させる形で構成されるべきである。また、監査役には、適切な経験・能力及び必要な財務・会計・法務に関する知識を有する者が選任されるべきであり、特に、財務・会計に関する適切十分な知見を有している者が1名以上選任されるべきである。 取締役会は、取締役会全体としての実効性に関する分析・評価を行うことなどにより、その機能の向上を図るべきである。	3-6	取締役会が、持続的な成長と中長期的な企業価値の向上に向けて、適切な知識・経験・能力を全体として備え、ジェンダーや国際性、職歴、年齢の面を含む多様性を十分に確保した形で構成されているか。その際、取締役として女性が選任されているか。
		3-7	取締役会が求められる役割・責務を果たしているかなど、取締役会の実効性評価が適切に行われ、評価を通じて認識された課題を含め、その結果が分かりやすく開示・説明されているか。取締役会の実効性確保の観点から、各取締役や法定・任意の委員会についての評価が適切に行われているか。
		3-10	監査役に、適切な経験・能力及び必要な財務・会計・法務に関する知識を有する人材が、監査役会の同意をはじめとする適切な手続を経て選任されているか。
		3-11	監査役は、業務監査を適切に行うとともに、監査上の主要な検討事項の検討プロセスにおける外部会計監査人との協議を含め、適正な会計監査の確保に向けた実効的な対応を行っているか。監査役に対する十分な支援体制が整えられ、監査役と内部監査部門との適切な連携が確保されているか。
		3-12	内部通報制度の運用の実効性を確保するため、内部通報に係る体制・運用実績について開示・説明する際には、分かりやすいものとなっているか。
5-1①	株主との実際の対話（面談）の対応者については、株主の希望と面談の主な関心事項も踏まえた上で、合理的な範囲で、経営陣幹部、社外取締役を含む取締役または監査役が面談に臨むことを基本とすべきである。	4-4-1	株主との面談の対応者について、株主の希望と面談の主な関心事項に対応できるよう、例えば、「筆頭独立社外取締役」の設置など、適切に取組みを行っているか。

コード		対話ガイドライン	
5-2	経営戦略や経営計画の策定・公表に当たっては、自社の資本コストを的確に把握した上で、収益計画や資本政策の基本的な方針を示すとともに、収益力・資本効率等に関する目標を提示し、その実現のために、事業ポートフォリオの見直しや、設備投資・研究開発投資・人的資本への投資等を含む経営資源の配分等に関し具体的に何を実行するのかについて、株主に分かりやすい言葉・論理で明確に説明を行うべきである。	1-1	持続的な成長と中長期的な企業価値の向上を実現するための具体的な経営戦略・経営計画等が策定・公表されているか。また、こうした*経営戦略・経営計画等*が、経営理念と整合的なものとなっているか。
		1-2	経営陣が、*自社の事業のリスクなどを適切に反映した資本コスト*を的確に把握しているか。その上で、持続的な成長と中長期的な企業価値の向上に向けて、収益力・資本効率等に関する目標を設定し、*資本コストを意識した経営*が行われているか。また、こうした目標を設定した理由が分かりやすく説明されているか。中長期的に資本コストに見合うリターンを上げているか。
		1-3	*ESGやSDGsに対する社会的要請・関心の高まりやデジタルトランスフォーメーションの進展（注）、サイバーセキュリティ対応の必要性、サプライチェーン全体での公正・適正な取引や国際的な経済安全保障を巡る環境変化への対応の必要性等の事業を取り巻く環境の変化が、経営戦略・経営計画等において適切に反映されているか。*また、例えば、取締役会の下または経営陣の側に、サステナビリティに関する委員会を設置するなど、サステナビリティに関する取組みを全社的に検討・推進するための枠組みを整備しているか。 （注）カーボンニュートラルの実現へ向けた技術革新やデジタルトランスフォーメーション等を主導するに当たっては、*最高技術責任者（CTO）の設置等の経営陣の体制整備が重要*との指摘があった。
		1-4	経営戦略・経営計画等の下、事業を取り巻く経営環境や事業等のリスクを的確に把握し、より成長性の高い新規事業への投資や既存事業からの撤退・売却を含む事業ポートフォリオの組替えなど、果断な経営判断が行われているか。その際、事業ポートフォリオの見直しについて、その方針が明確に定められ、見直しのプロセスが実効的なものとして機能しているか。
		2-1	保有する資源を有効活用し、中長期的に資本コストに見合うリターンを上げる観点から、持続的な成長と中長期的な企業価値の向上に向けた設備投資・研究開発投資・人件費も含めた人的資本への投資等が、戦略的・計画的に行われているか。
		2-2	経営戦略や投資戦略を踏まえ、資本コストを意識した資本の構成や手元資金の活用を含めた財務管理の方針が適切に策定・運用されているか。また、投資戦略の実行を支える営業キャッシュフローを十分に確保するなど、*持続的な経営戦略・投資戦略の実現*が図られているか。

コード	対話ガイドライン
5-2 ① 上場会社は、経営戦略等の策定・公表に当たっては、取締役会において決定された事業ポートフォリオに関する基本的な方針や事業ポートフォリオの見直しの状況について分かりやすく示すべきである。	1-4参照

事項索引

〈欧　文〉

CAPM ………………………………… 222
ESG ………………… 92, 94, 111, 125
KPI ……………………………………… 219
MBO 指針 ……………………………… 84
PRI（Principles for Responsible
　Investment）………………………… 95
ROE …………………………………… 221
SDGs（Sustainable Development Goals）
　……………………………………… 92,111
TCFD …………………………………… 125
WACC ………………………………… 222

〈あ　行〉

アセットオーナー ………… 103, 105, 107
アセットマネジャー …………………… 103
委任 ……………………………………… 49
　――の範囲 …………………………… 149
運用機関 …………………………… 103, 105
英訳 ……………………………………… 60
エクスプレイン
　………… 22, 23, 24, 25, 150, 166, 189
エンゲージメント ……………… 215, 216

〈か　行〉

外国人 ………………………………… 96, 98
開示 ………………………………… 26, 67
会社の目指すところ ……………… 90, 110
外部会計監査人
　………………… 128, 130, 131, 132, 134
各取締役の自己評価 …………… 198, 201
加重平均資本コスト …………………… 222
ガバナンス報告書 ………… 169, 202, 242
　――の更新 …………………………… 244
　――の提出期限 ……………………… 16
株主構造の把握 ………………………… 217

株主総会 ……… 32, 46, 48, 51, 53, 57, 62
株主総会参考書類 ……………………… 197
株主との対話 ………………………… 212
株主の権利行使 ………………………… 50
監査等委員会 ………………………… 185
監査等委員会設置会社
　………………………… 33, 181, 183, 185
監査役 ………………………………… 38
監査役会 ……… 128, 130, 131, 132, 134
監査役監査基準 ……………… 38, 163, 164
関連当事者 ……………………………… 85
関連当事者間の取引 ………… 85, 86, 87
機関設計 ………………………… 137, 138
機関投資家 ………… 35, 43, 62, 174, 201
企業年金 ……………………… 103, 105, 107
議決権電子行使プラットフォーム
　…………………………………… 51, 59
気候変動に関する開示 ……………… 126
期待収益率 …………………………… 222
基本的な考え方 ……………………… 113
基本方針 ………………………… 113, 114
客観性・透明性ある手続 ……… 154, 156
業績連動報酬 ………………………… 156
グループ ……………………………… 39
グループ・ガバナンス ……………… 39
グロース市場 ……………………… 236, 240
経営環境 ………………………… 187, 219
経営計画 ……………………… 110, 112, 218
経営陣 ………………………………… 36
　――から独立した窓口 ……………… 102
経営陣幹部 …………………………… 36
経営陣幹部・取締役の報酬 …… 115, 117
経営陣幹部の選解任
　………………………… 115, 118, 120, 158
経営戦略 ……………………… 110, 187, 193, 218
経営理念 ………………………… 90, 91, 110
決議事項 ……………………………… 140

266　事項索引

現金報酬‥‥‥‥‥‥‥‥‥‥‥ 156
兼任‥‥‥‥‥‥‥‥‥‥‥ 195, 207
　――状況‥‥‥‥‥‥‥‥‥‥ 197
公益通報者保護法‥‥‥‥‥‥ 100
公開買付け‥‥‥‥‥‥‥‥‥‥ 83
後継者計画（プランニング）
　‥‥‥‥‥‥‥ 140, 151, 153, 181
公正なM&Aの在り方に関する指針‥‥ 84
行動準則‥‥‥‥‥‥‥‥‥‥‥ 91
個々の選解任・指名についての説明
　‥‥‥‥‥‥‥‥‥‥‥ 120, 121
コードの各原則に基づく開示
　‥‥‥‥‥‥‥‥‥‥ 26, 29, 242
コードの各原則を実施しない理由‥‥ 242
コーポレートガバナンス・ガイドライン
　‥‥‥‥‥‥‥‥‥‥‥‥‥ 114
コンプライ‥‥‥ 172, 173, 175, 176, 177,
　　　　181, 184, 197, 204, 207
コンプライ・アンド・エクスプレイン
　‥‥‥‥‥‥‥‥‥‥‥‥‥‥ 29
コンプライ・オア・エクスプレイン
　‥‥‥‥‥‥‥ 4, 19, 25, 43, 189

〈さ　行〉

最高経営責任者（CEO）等
　‥‥‥‥‥‥‥ 140, 146, 151, 153
財務・会計に関する十分な知見‥‥‥ 191
財務管理の方針‥‥‥‥‥‥‥‥ 233
サステナビリティ‥‥‥ 92, 94, 110, 125
サステナビリティ委員会‥‥‥‥‥ 94
ジェンダー‥‥‥‥‥‥ 181, 187, 189
事業再編ガイドライン‥‥‥ 226, 231
事業報告‥‥‥‥‥‥‥‥ 178, 197
事業ポートフォリオに関する基本的な方針
　‥‥‥‥‥‥‥‥‥‥‥‥‥ 226
事業ポートフォリオの見直し
　‥‥‥‥‥‥‥‥‥ 224, 226, 231
自己資本利益率‥‥‥‥‥‥‥‥ 221
自社株報酬‥‥‥‥‥‥‥‥‥ 156
自主的かつ測定可能な目標‥‥‥‥ 98

持続可能性‥‥‥‥‥‥ 92, 94, 125
実質株主の把握‥‥‥‥‥‥‥‥ 217
支配株主‥‥‥‥‥‥‥‥ 175, 176
支配的株主‥‥‥‥‥‥‥‥‥ 175
資本効率‥‥‥‥‥‥‥‥ 218, 221
資本コスト‥‥‥‥‥‥‥‥‥ 222
資本政策‥‥‥‥‥‥ 64, 65, 67, 84
指名委員会等設置会社‥‥‥‥‥‥ 33
指名・選解任の手続‥‥‥‥‥‥ 118
諮問委員会‥‥‥‥‥‥‥‥‥ 181
社外取締役‥‥‥ 177, 180, 183, 184, 187,
　　　　195, 203, 204, 205, 214
社外役員‥‥‥‥‥‥‥‥‥‥ 205
社内取締役‥‥‥‥‥‥‥ 184, 195
社内取締役および社内監査役の指名
　‥‥‥‥‥‥‥‥‥‥‥‥‥ 121
収益力‥‥‥‥‥‥‥‥‥ 218, 221
収益力・資本効率等に関する目標‥‥ 218
受託者責任‥‥‥‥‥‥‥ 163, 165
主要な構成員‥‥‥‥‥‥‥‥ 183
招集通知‥‥‥‥‥‥‥‥‥ 55, 60
　――の早期発送‥‥‥‥‥ 51, 55, 57
少数株主‥‥‥‥‥‥‥‥‥‥ 175
情報交換・認識共有‥‥‥ 171, 172, 173
職歴‥‥‥‥‥‥‥‥‥‥ 187, 189
女性‥‥‥‥‥‥‥‥‥‥‥ 96, 98
　――の活躍促進‥‥‥‥‥‥‥‥ 96
女性活躍推進法‥‥‥‥‥‥‥‥ 96
審議事項‥‥‥‥‥‥‥‥‥‥ 203
新市場区分‥‥‥‥‥‥‥‥‥ 169
人的資本や知的財産への投資等‥‥ 126
スキル・マトリックス
　‥‥‥‥‥‥‥‥ 53, 118, 187,193
スタンダード市場‥‥‥‥‥ 236, 240
スチュワードシップ・コード‥‥ 14, 43
ステークホルダー‥‥‥‥ 90, 91, 165
政策保有株式‥‥‥‥ 68, 70, 74, 75, 76, 77
　――に対する懸念‥‥‥‥‥‥‥ 69
　――の検証‥‥‥‥‥‥‥‥‥ 72
　――の縮減‥‥‥‥‥‥‥‥ 70, 71

事項索引　　267

政策保有株主 ······················ 78
説明 ································· 30
ソフトロー ························ 4, 19

〈た 行〉

対話 ··························· 170, 201
対話ガイドライン ····· 10, 14, 52, 53, 57,
　　65, 68, 170, 174, 207, 228, 231, 233
他社での経営経験を有する者
　　······························ 167, 168, 193
多様性 ·············· 96, 98, 181, 187, 189
中期経営計画 ············ 112, 146, 150
中途採用者 ························· 96, 98
ディスクロージャー・ポリシー ······· 215
デュアル・レポーティング
　　······························ 204, 205, 207
統括者 ································ 216
特別委員会 ···························· 175
独立した指名委員会・報酬委員会
　　······················ 158, 181, 183, 185
独立社外者 ················ 171, 172, 173
独立社外取締役 ······ 157, 158, 166, 167,
　　169, 170, 171, 173, 174, 175, 177,
　　178, 180, 183, 195
独立性に関する考え方・権限・役割等
　　······································· 184
独立性判断基準 ················ 177, 178
独立性を有する者 ······················ 175
独立役員 ······························ 180
取締役・監査役候補の指名
　　······················ 115, 118, 120, 121
取締役会 ······························ 132
取締役会決議・審議事項 ············ 141
取締役会の実効性評価
　　······················ 198, 200, 202, 205
取締役会付議基準 ······ 140, 141, 149
取締役会報告・審議事項 ············ 144
トレーニング ························· 209

〈な 行〉

内部監査部門 ··········· 204, 205, 207
内部通報 ····················· 100, 102
内部統制 ····················· 161, 162
内部統制システム ············ 100, 161
任意の諮問委員会 ··················· 181
年齢 ···························· 187, 189

〈は 行〉

買収防衛策 ····················· 80, 82
バーチャル株主総会 ················· 52
筆頭独立社外取締役 ········· 174, 214
フォローアップ会議 ··· 8, 9, 12, 182, 185,
　　189, 191, 195, 203, 204, 207
プライム市場 ·············· 17, 59, 236
プライム市場上場会社
　　············ 60, 123, 126, 169, 173, 183, 184
プリンシプルベース・アプローチ
　　····· 4, 21, 23, 43, 167, 172, 175, 183,
　　189, 205, 209
報告事項 ····················· 140, 203
報酬決定の手続 ······················ 117
報酬決定の方針 ······················ 117
法定・任意の委員会についての評価
　　······································· 198
本則市場 ····················· 236, 238
本則市場以外の市場 ·········· 236, 238

〈ま 行〉

マネジメント・ボード ················ 138
面談 ················ 174, 212, 213, 214
モニタリング・モデル ············ 138, 139

〈や 行〉

有価証券報告書 ······················ 219
有識者会議 ······························ 8

〈ら 行〉

リード・インディペンデント・
　ディレクター ·················· 174, 214
利益相反 ················· 167, 175, 195
――の管理 ························ 107
リスク管理体制 ················ 161, 162
レポーティングライン ·············· 207
連携 ······························ 207

第4版執筆者紹介

【監修】

澤口　実（さわぐち　みのる）
森・濱田松本法律事務所　パートナー弁護士
1991年東京大学法学部卒業、1993年弁護士登録。
会社法分野を中心に、訴訟やM&A業務など、企業法務全般を取り扱う。東京大学客員教授、経済産業省のコーポレート・ガバナンス・システム研究会委員、新時代の株主総会プロセスの在り方研究会委員などを務めた。
主な著書として、『新しい役員責任の実務〔第3版〕』（商事法務、2017、共編著）、『取締役会運営の実務』（商事法務、2010）など。

【編著】

内田　修平（うちだ　しゅうへい）
森・濱田松本法律事務所　パートナー弁護士
2002年東京大学法学部卒業、2003年弁護士登録。2008年コロンビア大学ロースクール卒業、2009年ニューヨーク州弁護士登録。
2010年～2013年法務省出向（民事局にて会社法改正の立案を担当）。2017年～京都大学法科大学院非常勤講師。
M&A／企業再編、コーポレート・ガバナンスなどを含む会社法務全般を取り扱う。
主な著書・論文として、『会社・株主間契約の理論と実務――合弁事業・資本提携・スタートアップ投資』（有斐閣、2021、共著）、『論究会社法――会社判例の理論と実務』（有斐閣、2020、共編著）、『「公正なM&Aの在り方に関する指針」の解説』（商事法務、2020、共著）、『M&A契約―モデル条項と解説―』（商事法務、2018、共著）、『実務解説　会社法』（商事法務、2016）、『M&A法大系』（有斐閣、2015、共著）、『立案担当者による平成26年改正会社法の解説（別冊商事法務393号）』（商事法務、2015、共著）など多数。

小林　雄介（こばやし　ゆうすけ）
森・濱田松本法律事務所　パートナー弁護士
2007年東京大学法学部卒業、2009年東京大学法科大学院修了、2010年弁護士登録。2018年ニューヨーク大学ロースクール修了、2019年ニューヨーク州弁護士登録。
コーポレート・ガバナンス、会社法関係争訟などを中心に会社法務全般を取り扱う。
主な著書・論文として、『新・会社法実務問題シリーズ・1　定款・各種規則の作成実務〔第4版〕』（中央経済社、2021、共著）、『令和元年　改正会社法――

改正の経緯とポイント』(有斐閣、2021、共著)、「2020 年の議決権行使助言会社の動向」(旬刊商事法務 2225 号 (2020)、共著) など多数。

【著】

吉田　瑞穂（よしだ　みずほ）
森・濱田松本法律事務所　弁護士
2011 年京都大学法科大学院修了、2013 年弁護士登録。
コーポレート・ガバナンス／訴訟／紛争解決、M&A／企業再編、業法などを含む会社法務全般を取り扱う。
主な著書・論文として、『経営者保証ガイドライン実践活用 Q&A―担保・保証に依存しない融資はこう進める―』(銀行研修社、2018、共著)、『コンプライアンスのための金融取引ルールブック〔第 17 版〕』(銀行研修社、2018、共著)、「改正民法」(ビジネス法務 2018 年 6 月号)、『コードに対応したコーポレート・ガバナンス報告書の記載事例の分析〔平成 28 年版〕(別冊商事法務 416 号)』(商事法務、2017、共著) など。

奥田　亮輔（おくだ　りょうすけ）
森・濱田松本法律事務所　弁護士
2012 年京都大学法学部卒業、2014 年弁護士登録。
訴訟／紛争解決、コーポレート・ガバナンス、労働法務、M&A／企業再編などを含む会社法務全般を取り扱う。
主な著書・論文として、『令和元年 改正会社法――改正の経緯とポイント』(有斐閣、2021、共著)、『ヘルステックの法務 Q&A』(商事法務、2019、共著)、「長澤運輸 (定年後再雇用者と正社員との賃金相違、労働契約法 20 条違反) 事件 (東京地裁平 28.5.13 判決)」(WEB 労政時報 (2016)) など。

千原　剛（ちはら　ごう）
森・濱田松本法律事務所　弁護士
2012 年慶應義塾大学法学部卒業、2015 年弁護士登録。
訴訟／紛争解決、危機管理、コーポレート・ガバナンスなどを含む会社法務全般を取り扱う。
主な著書・論文として、「TOPIX100 構成銘柄企業のコーポレートガバナンス・コード対応の傾向―2017 年 3 月末時点開示内容をもとに―」(旬刊商事法務 2134 号 (2017)、共著)、『業務場面でつかむ！　民法改正で企業実務はこう変わる』(第一法規、2018、共著)、『企業の危機管理書式集』(中央経済社、2019、共著)、『コンプライアンスのための金融取引ルールブック〔2020 年版〕』(銀行研修社、2020、共著) など。

香川　絢奈（かがわ　あやな）
森・濱田松本法律事務所　弁護士
2014 年東京大学文学部行動文化学科社会心理学専修卒業、2016 年東京大学法科大学院修了、2017 年弁護士登録。
コーポレート・ガバナンスなどを含む会社法務全般を取り扱う。
主な著書・論文として、「中間試案からどこが変わった？「会社法制（企業統治等関係）の見直しに関する要綱」のポイント」（企業会計 71 巻 5 号（2019）、共著）、『令和元年 改正会社法――改正の経緯とポイント』（有斐閣、2021、共著）など。

荻野　績（おぎの　つむぐ）
森・濱田松本法律事務所　弁護士
2006 年東京大学法学部卒業、2017 年東京大学法科大学院修了、2018 年弁護士登録。
コーポレート・ガバナンスなどを含む会社法務全般を取り扱う。
主な著書・論文として、「コーポレート・ガバナンス報告書の分析　2019 年シーズンの CG コードの開示　経営陣幹部の選解任方針、役員報酬」（資料版商事法務 429 号（2019）、共著）など。

河西　和佳子（かさい　わかこ）
森・濱田松本法律事務所　弁護士
2016 年早稲田大学法学部卒業、2018 年東京大学法科大学院中退、2018 年弁護士登録。
コーポレート・ガバナンスなどを含む会社法務全般を取り扱う。
主な著書・論文として、「不正・不祥事事案の再発防止策の類型化と分析　第 12 回・完　人材の育成および配置」（資料版商事法務 447 号（2021）、共著）、「指名・報酬に関する任意の諮問委員会の最新動向」（資料版商事法務 441 号（2020）、共著）、『コードに対応したコーポレート・ガバナンス報告書の記載事例の分析〔2020 年版〕（別冊商事法務 456 号）』（商事法務、2020、共著）、「不正・不祥事事案の再発防止策の類型化と分析　第 2 回　業務プロセス」（資料版商事法務 437 号（2020）、共著）など。

（第 3 版執筆者）
【編著】
澤口　実（さわぐち　みのる）
内田　修平（うちだ　しゅうへい）
髙田　洋輔（たかた　ようすけ）
【著】
吉田　瑞穂（よしだ　みずほ）
飯島　隆博（いいじま　たかひろ）

奥田　亮輔（おくだ　りょうすけ）
千原　剛（ちはら　ごう）

(第2版執筆者)
【編著】
澤口　実（さわぐち　みのる）
内田　修平（うちだ　しゅうへい）
髙田　洋輔（たかた　ようすけ）
【著】
角田　望（つのだ　のぞむ）
金村　公樹（かねむら　こうき）
福田　剛（ふくだ　たけし）
吉田　瑞穂（よしだ　みずほ）
飯島　隆博（いいじま　たかひろ）
奥田　亮輔（おくだ　りょうすけ）

(初版執筆者)
【編著】
澤口　実（さわぐち　みのる）
内田　修平（うちだ　しゅうへい）
【著】
角田　望（つのだ　のぞむ）
金村　公樹（かねむら　こうき）
福田　剛（ふくだ　たけし）
吉田　瑞穂（よしだ　みずほ）

コーポレートガバナンス・コードの実務〔第4版〕

2015年8月25日	初　版第1刷発行
2016年4月30日	第2版第1刷発行
2018年12月15日	第3版第1刷発行
2021年10月15日	第4版第1刷発行

監修者　澤口　　実

編著者　内田　修平
　　　　小林　雄介

発行者　石川　雅規

発行所　株式会社 商事法務
〒103-0025 東京都中央区日本橋茅場町 3-9-10
TEL 03-5614-5643・FAX 03-3664-8844〔営業〕
TEL 03-5614-5649〔編集〕
https://www.shojihomu.co.jp/

落丁・乱丁本はお取り替えいたします。
印刷／広研印刷㈱
© 2021 Minoru Sawaguchi
Printed in Japan
Shojihomu Co., Ltd.
ISBN978-4-7857-2904-2
＊定価はカバーに表示してあります。

JCOPY ＜出版者著作権管理機構　委託出版物＞
本書の無断複製は著作権法上での例外を除き禁じられています。
複製される場合は、そのつど事前に、出版者著作権管理機構
（電話 03-5244-5088、FAX 03-5244-5089、e-mail: info@jcopy.or.jp）
の許諾を得てください。